总主编 单墫 熊斌

奥数教程

·四年级·

（第四版）

江兴代 编著

华东师范大学出版社

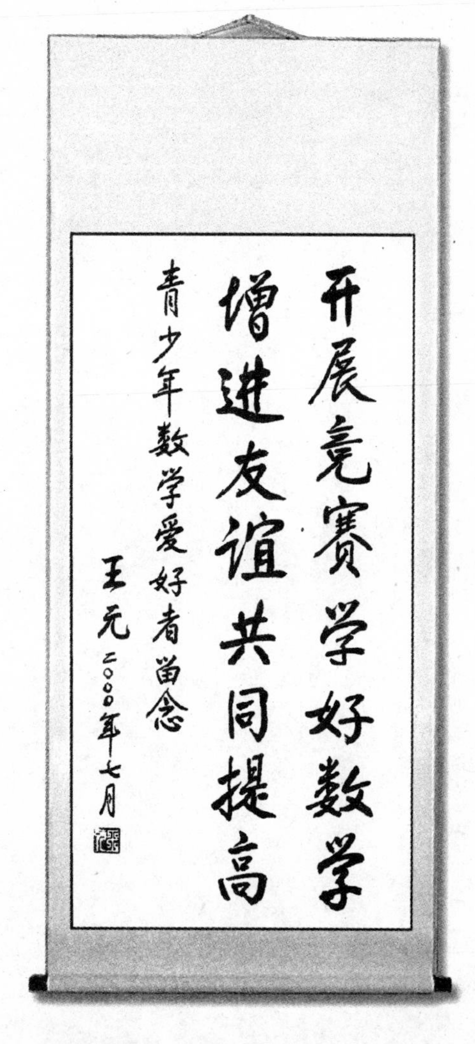

著名数学家、中国科学院院士、原中国数学奥林匹克委员会主席王元先生致青少年数学爱好者

致读者

《奥数教程》的出版已有七八个年头了。在这个过程中,包含了作者和编辑的辛勤劳作,更多的是让我们感到欣慰。这套书,曾荣获了第十届全国教育图书展的优秀畅销书奖;香港现代教育研究社出版了她的繁体字版和网络版,并成为香港的畅销图书之一,并因此获得了版权输出奖;据北京开卷图书市场研究所的监控销售数据,近几年《奥数教程》的销量名列同类书前茅,尤其是初一和高一分册分别获得数学竞赛图书初中段和高中段的第一. 这些成绩的取得与作者们精到的创作,广大读者的支持、呵护是分不开的。

为了使《奥数教程》更健康、更成熟地发展,为了使学生的学习生活更主动、更有效,不断提高图书的质量,我们差不多每两年修订一次,现在已经是第四版了。应广大读者的要求,方便读者自学,为四年级至九年级出版了相应的"学习手册"。如果将"学习手册"与"教程"配套使用,收效一定更佳。

四五年前,我们开展了"有奖订正"和"巧解共享"两项活动,得到了读者的支持与配合,不少读者纷纷来信、来电提出订正意见和更好的解法. 这是对我们的鼓励,更是对我们的鞭策。我们计划继续开展下列活动,希望有更多的读者朋友乐于参与.

一、有奖订正

2007 年 9 月到 2008 年 8 月期间,欢迎读者朋友对《奥数教程》(第四版,12 册),提出改正意见,我们将对"纠错能手"给予奖励.

二、巧解共享

欢迎读者朋友对《奥数教程》中例题与习题,提供更巧妙的解法. 我们将选择有新意的、合适的解法在网上公布,以与其他读者朋友共享. 凡在修订时被采用者,我们将署上提供者的姓名,并支付相应的稿酬.

我们衷心祝愿《奥数教程》永远成为您的好朋友.

华东师范大学出版社

前　言

据说在很多国家，特别是美国，孩子们害怕数学，把数学作为“不受欢迎的学科”. 但在中国，情况很不相同，很多少年儿童喜爱数学，数学成绩也都很好. 的确，数学是中国人擅长的学科，如果在美国的中小学，你见到几个中国学生，那么全班数学的前几名就非他们莫属.

在数(shǔ)数(shù)阶段，中国儿童就显出优势.

中国人能用一只手表示 1～10，而很多国家非用两只手不可.

中国人早就有位数的概念，而且采用最方便的十进制(不少国家至今还有 12 进制，60 进制的残余).

中国文字都是单音节，易于背诵，例如乘法表，学生很快就能掌握，再“傻”的人也都知道“不管三七二十一”. 但外国人，一学乘法，头就大了. 不信，请你用英语背一下乘法表，真是佶屈聱牙，难以成诵.

圆周率 $\pi=3.14159\cdots$. 背到小数后五位，中国人花一两分钟就够了. 可是俄国人为了背这几个数字，专门写了一首诗，第一句三个单词，第二句一个，……要背 π 先背诗，这在我们看来简直是自找麻烦，可他们还作为记忆的妙法.

四则运算应用题及其算术解法，也是中国数学的一大特色. 从很古的时候开始，中国人就编了很多应用题，或联系实际，或饶有兴趣，解法简洁优雅，机敏而又多种多样，有助于提高学生的学习兴趣，启迪学生智慧. 例如：

“一百个和尚一百个馒头，大和尚一个人吃三个，小和尚三个人吃一个，问有几个大和尚，几个小和尚?”

外国人多半只会列方程解. 中国却有多种算术解法，如将每个大和尚“变”成 9 个小和尚，100 个馒头表明小和尚是 300 个，多出 200 个和尚，是由于每个大和尚变小和尚，多变出 8 个，从而 $200\div8=25$ 即是大和尚人数. 小和尚自然是 75 人，或将一个大和尚与 3 个小和尚编成一组，平均每人吃一个馒头. 恰好与总体的平均数相等. 所以大和尚与小和尚这样编组后不多不少，即大和尚是 $100\div(3+1)=25$ 人.

中国人善于计算,尤其善于心算.古代还有人会用手指计算(所谓"掐指一算").同时,中国很早就有计算的器械,如算筹、算盘.后者可以说是计算机的雏形.

在数学的入门阶段——算术的学习中,我国的优势显然,所以数学往往是我国聪明的孩子喜爱的学科.

几何推理,在我国古代并不发达(但关于几何图形的计算,我国有不少论著),比希腊人稍逊一筹.但是,中国人善于向别人学习.目前我国中学生的几何水平,在世界上遥遥领先.曾有一个外国教育代表团来到我国一个初中班,他们认为所教的几何内容太深,学生不可能接受,但听课之后,不得不承认这些内容中国的学生不但能够理解,而且掌握得很好.

我国数学教育成绩显著.在国际数学竞赛中,我国选手获得众多奖牌,就是最有力的证明.从1986年我国正式派队参加国际数学奥林匹克以来,中国队已经获得了12次团体冠军,可谓是成绩骄人.当代著名数学家陈省身先生曾对此特别赞赏.他说:"今年一件值得庆祝的事,是中国在国际数学竞赛中获得第一.……去年也是第一名."(陈省身1990年10月在台湾成功大学的讲演"怎样把中国建为数学大国")

陈省身先生还预言:"中国将在21世纪成为数学大国."

成为数学大国,当然不是一件容易的事,不可能一蹴而就,它需要坚持不懈的努力.我们编写这套丛书,目的就是:(1)进一步普及数学知识,使数学为更多的青少年喜爱,帮助他们取得好的成绩;(2)使喜爱数学的同学得到更好的发展,通过这套丛书,学到更多的知识和方法.

"天下大事,必作于细."我们希望,而且相信,这套丛书的出版,在使我国成为数学大国的努力中,能起到一点作用.本丛书初版于2000年,现根据课程改革的要求对各册再作不同程度的修订.

著名数学家、中国科学院院士、原中国数学奥林匹克委员会主席王元先生担任本丛书顾问,并为青少年数学爱好者题词,我们表示衷心的感谢.还要感谢华东师范大学出版社及倪明先生,没有他们,这套丛书不会是现在这个样子.

单墫 熊斌

2007年5月

目　录

第 1 讲

巧算加减法

在千姿百态的数学计算百花园中，巧算是其最为艳丽的一朵奇葩.要想算得又快又准，关键在于掌握运算技巧，了解题目的特点，善于运用运算定律与性质(包括正用、逆用、连用等).实际计算时，要敏于观察、善于思考，选用合理、灵活的计算方法，使计算简便易行，即巧算.

计算：

(1) $823+92-23$；

(2) $823-92+177$.

分析 根据题中数字的特点，综合运用加减法混合运算中可交换的性质，可以使计算更加简便.

解 (1)

$$\begin{aligned}&823+92-23\\=&823-23+92\\=&800+92\\=&892;\end{aligned}$$

(2)

$$\begin{aligned}&823-92+177\\=&823+177-92\\=&1000-92\\=&908.\end{aligned}$$

说明 (1)题运用了性质：$a+b-c=a-c+b$；(2)题运用了性质：$a-b+c=a+c-b$.

例 2 计算：

(1) $999+999\times999$；

(2) $9+99+999+9999$.

分析 (1)题可逆用乘法对加法的分配律；(2)题可采取"添 1 凑整"的方法.

解 (1) $\quad 999+999\times999$

$=999\times1+999\times999$

$=999\times(1+999)$

$=999\times1000$

$=999\,000$；

(2) $\quad 9+99+999+9999$

$=10-1+100-1+1000-1+10\,000-1$

$=10+100+1000+10\,000-4$

$=11\,110-4$

$=11\,106$.

说明 (1)题运用了性质：$a\times b+a\times c=a\times(b+c)$.

随堂练习 1 计算下列各题：

(1) $937+115-37+85$；

(2) $995+996+997+998+999$.

例 3 计算：

(1) $528-(196+328)$；

(2) $1308-(308-49)$.

分析 加减法简便运算的基本思路是"凑整"，即将能通过加减运算后得到整十、整百、整千……的数，先运用性质计算它们的结果.

解 (1) $\quad 528-(196+328)$

$=528-196-328$

$= 528 - 328 - 196$

$= 200 - 196$

$= 4$；

(2) $1308 - (308 - 49)$

$= 1308 - 308 + 49$

$= 1000 + 49$

$= 1049$.

说明 (1)运用了性质：$a - (b + c) = a - b - c = a - c - b$；(2)运用了性质：$a - (b - c) = a - b + c$.

例 4 计算：

(1) $(4256 + 125 + 875) - 256$；

(2) $847 - 578 + 398 - 222$.

解 (1) $(4256 + 125 + 875) - 256$

$= (4256 - 256) + (125 + 875)$

$= 4000 + 1000$

$= 5000$；

(2) $847 - 578 + 398 - 222$

$= 847 + 398 - 578 - 222$

$= 847 + 400 - 2 - (578 + 222)$

$= 1245 - 800$

$= 445$.

说明 这两道题综合性较强，运用了加、减法的交换律和结合律，还用整十、整百、整千……来代替很接近的数，从而给计算带来方便.

随堂练习 2 计算下列各题：

(1) $354 + (646 - 198)$；

(2) $3842 - 1567 - 433 - 842$.

计算：

(1) $701+697+703+704+696$；

(2) $72+66+75+63+69$.

分析 (1) 这几个数都接近700，选择700作为基准数，计算的时候，找出每个数与700的差，大于700的部分作为加数，小于700的部分作为减数.用700与项数的积再加、减这些“相差数”就是所求的结果.

(2) 选取这几个数的中间数69为基准数，先用69乘以项数，再口算出各数与69的差，通过加减相抵，就能很快求出和.

解 (1)

$$\begin{aligned}&701+697+703+704+696\\=&700\times5+(1+3+4)-(3+4)\\=&3500+8-7\\=&3501;\end{aligned}$$

(2)

$$\begin{aligned}&72+66+75+63+69\\=&69\times5+3-3+6-6+0\\=&69\times5\\=&345.\end{aligned}$$

说明 若干个比较接近的数相加，可以从这些数中选择一个数作为计算的基础，这个数叫做“基准数”.(2)中的“基准数”若选为70，求和更简便.

计算：

$100+99-98-97+96+95-94-93+\cdots+8+7-6-5+4+3-2-1$.

分析 这是一道多个数进行加、减运算的综合题，加、减项数共有100项.若要简化计算，可通过前后次序的交换，把两个数结合为一组，共可结合成50组，每组值均为2.

解 原式$=(100-98)+(99-97)+(96-94)+(95-93)$

$$+\cdots+(8-6)+(7-5)+(4-2)+(3-1)$$
$$=2\times 50=100.$$

说明 也可以依序把四个数结合为一组，得到

$$100+99-98-97=96+95-94-93=\cdots$$
$$=4+3-2-1=4.$$

即可将原式结合成25组，每组值均为4，结果等于

$$4\times 25=100.$$

随堂练习3 计算下列各题：

(1) $9.7+9.8+9.9+10.1+10.2+10.3$；

(2) $2000+1999-1998-1997+1996+1995-1994-1993+\cdots+8+7-6-5+4+3-2-1$.

（2000年吉林省小学数学夏令营试题）

读一读

做数学的好朋友

我们知道，数学与自然界及人类现实生活是紧密地联系在一起的，人类离不开数学，生活离不开数学，学习更离不开数学.

数学是其他各门学科的基础，并广泛地应用于自然科学和社会科学各个领域，是通向科学殿堂的金钥匙. 物理学、化学、生物学、医学、经济学、军事学、历史学、美学……都越来越多地需要数学.

数学不仅是一门科学，也是一种普遍适用的技术. 现代科学技术的突出特点是定量化，而定量化的标志是运用数学思想方法，量化处理各类实际问题. 因此，现代科学技术实际上越来越表现为一种数学技术.

现代社会是信息化社会、数字化社会，数学思想方法已是人们

日常生活中不可缺少的工具,未来公民的数学素养将成为公民基本素养不可或缺的重要部分……

学好数学,首先你要成为数学最亲密的朋友,因为只有喜欢数学的人才能学好数学.你应该热爱生活,因为数学就源于生活;你应该从自己身边熟悉的事物和日常生活中去发现数学,欣赏数学的美丽,体验数学的价值.

你还要学会研读数学课本,理解一个问题是怎样提出来的,一个数学概念是怎样形成的,一个数学结论是怎样获得和应用的,并从研读过程中获取数学知识和数学思想方法.你还应该具有团队精神,学会与老师合作,与同学合作,与家长合作,与更多的人合作,养成合作交流的学习习惯.

如此等等,你才能真正成为数学的好朋友!

练　习　题

一、填空题

1 $32+87+68+13=$ ________.

2 $745+(672-545)-572=$ ________.

3 $42\times35+61\times35-3\times35=$ ________.

4 $726-(399-174)=$ ________.

二、选择题

5 下面四个算法中最简便的是(　　).

(A) $986+238=900+(86+238)=900+324=1224$

(B) $986+238=(1000-14)+238=1000+238-14=1224$

(C) $986+238=986+234+4=1224$

(D) $986+238=980+6+238=1224$

6 计算:$560-557+554-551+\cdots+500-497$ 的结果是

(　　).

(A) 33　　(B) 36　　(C) 30　　(D) 39

三、计算下列各题

7 $69+18+31+82$.

8 $516-56-44-16$.

9 $713-(513-229)$.

10 $2356-(356+199)$.

11 $378+475+99-675$.

12 $537-(543-163)-57$.

13 $19+299+3999+49\,999$.

14 $200-198+196-194+\cdots+8-6+4-2$.

巧算乘除法

四则运算中巧算的方法很多,它主要是根据已学过的知识,通过一些运算定律、性质和一些技巧性方法,达到计算正确而快捷的目的.

实际进行乘法、除法以及乘除法混合运算时可利用以下性质进行巧算:

① 乘法交换律:$a\times b=b\times a$

② 乘法结合律:$a\times b\times c=a\times(b\times c)$

③ 乘法分配律:$(a+b)\times c=a\times c+b\times c$

由此可推出:$a\times b+a\times c=a\times(b+c)$

$(a-b)\times c=a\times c-b\times c$

④ 除法的性质:$a\div b\div c=a\div c\div b=a\div(b\times c)$

利用乘法、除法的这些性质,先凑整得10、100、1000……使计算更简便.

例1 计算:

(1) $25\times5\times64\times125$;

(2) $56\times165\div7\div11$.

分析 (1) 在计算乘、除法时,我们通常可以运用2×5、4×25、8×125来进行巧妙的计算.

(2) 运用除法的性质,带着符号"搬家".

解 (1) $25\times5\times64\times125$

$=25\times5\times2\times4\times8\times125$

$= (25 \times 4) \times (5 \times 2) \times (8 \times 125)$

$= 100 \times 10 \times 1000$

$= 1\,000\,000$;

(2) $56 \times 165 \div 7 \div 11$

$= (56 \div 7) \times (165 \div 11)$

$= 8 \times 15$

$= 120$.

随堂练习 1 计算：

(1) $25 \times 96 \times 125$；

(2) $77\,777 \times 99\,999 \div 11\,111 \div 11\,111$.

例 2 计算：

(1) $4000 \div 125 \div 8$；

(2) $9999 \times 2222 + 3333 \times 3334$.

分析 (1)题运用性质 $a \div b \div c = a \div (b \times c)$，可简化计算；(2)题将 9999 分解成 3333×3 就与 3333×3334 出现了相同的因数，可逆用乘法分配律简化运算.

解 (1) $4000 \div 125 \div 8$

$= 4000 \div (125 \times 8)$

$= 4000 \div 1000$

$= 4$；

(2) $9999 \times 2222 + 3333 \times 3334$

$= 3333 \times 3 \times 2222 + 3333 \times 3334$

$= 3333 \times (6666 + 3334)$

$= 3333 \times 10\,000$

$= 33\,330\,000$.

说明 (2)题是创造条件运用乘法运算性质，这需要我们具有一双数学的慧眼.

随堂练习 2 计算：

(1) $60\,000 \div 125 \div 2 \div 5 \div 8$；

(2) $99\,999 \times 7 + 11\,111 \times 37$.

（2000 年吉林省小学数学夏令营试题）

例 3 计算：$218 \times 730 + 7820 \times 73$.

分析 本题可以运用"积不变的规律"，即"一个因数扩大几倍，另一个因数缩小相同的倍数，积不变"的规律求解.

解法一

$$
\begin{aligned}
& 218 \times 730 + 7820 \times 73 \\
= & 2180 \times 73 + 7820 \times 73 \\
= & (2180 + 7820) \times 73 \\
= & 10\,000 \times 73 \\
= & 730\,000；
\end{aligned}
$$

解法二

$$
\begin{aligned}
& 218 \times 730 + 7820 \times 73 \\
= & 218 \times 730 + 782 \times 730 \\
= & (218 + 782) \times 730 \\
= & 1000 \times 730 \\
= & 730\,000.
\end{aligned}
$$

说明 本题运用乘法中积不变的规律，就可以为运用乘法分配律进行巧算创造条件. 这种解题方法叫做扩缩法.

随堂练习 3

计算：$375 \times 480 - 2750 \times 48$.

例 4 不用计算结果，请你指出下面哪道题得数大.

452×458 $\qquad\qquad$ 453×457

分析 注意到 $453 = 452 + 1$，$458 = 457 + 1$，可运用乘法分配律加以判别.

解 因为 452×458 453×457

$=452\times(457+1)$ $=(452+1)\times457$

$=452\times457+452$, $=452\times457+457$,

所以 $452\times458<453\times457$.

随堂练习 4 不用计算结果,比较下面两个积的大小.

$A=54\,321\times12\,345$ $B=54\,322\times12\,344$

例 5 求 $1\div(2\div3)\div(3\div4)\div(4\div5)\div(5\div6)$ 的值.

(第二届"华罗庚金杯"数学邀请赛试题)

分析 观察发现,算式中每个括号里的除数都是下一个括号里的被除数,根据运算性质 $a\div(b\div c)=a\div b\times c$,计算时可以消去 3, 4, 5.

解 原式 $=1\div2\times3\div3\times4\div4\times5\div5\times6$

$=1\div2\times6$

$=3$.

读一读

当代世界著名数学家陈省身

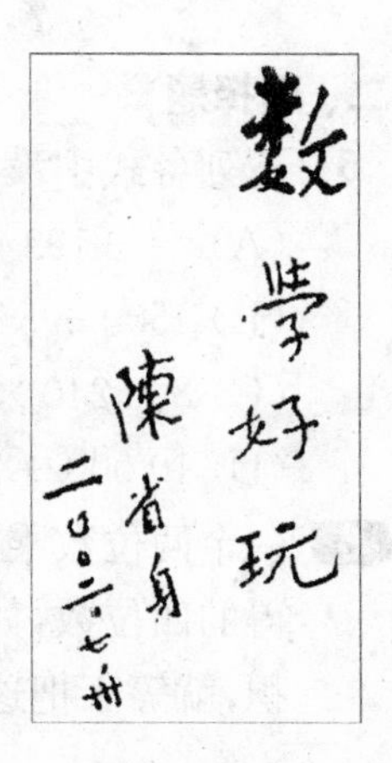

陈省身,美籍华人,世界著名数学家,中国科学院首批外籍院士.

1930 年,陈省身毕业于南开大学,1931 年考入清华研究院,成为中国国内最早的数学研究生之一. 1934 年,他毕业于清华研究院,同年,得到汉堡大学的奖学金,赴布拉希克所在的汉堡大学数学系留学. 在布拉希克研究室他完成了博士论文,1936 年获得博士学位.

陈省身对数学有重大贡献,尤其是在几何

学方面.他的成就对现代数学的许多分支都产生了深刻的影响.

1982年,他回到南开大学,在数学系捐款设立数学奖学金.

1984年,他辞去美国国家数学研究所所长的职务,正式应聘到南开大学担任南开数学研究所所长,还担任了中美科技交流协会主席以及北京大学、南开大学和暨南大学等校的名誉教授.

多年来,他为祖国数学界举办了三项大活动:一是在中国召开每年一次的国际微分几何、微分方程会议;二是开办暑期数学研究生教学中心;三是每年派20名中国数学研究生赴美国参加"陈省身项目"的研究.

陈省身1984年获得了"沃尔夫"数学奖.

练 习 题

一、填空题

1 $4500 \div (25 \times 90) =$ ________.

2 $18\,000 \div 125 \div 18 =$ ________.

3 $42 \times 35 + 61 \times 35 - 3 \times 35 =$ ________.

4 $(125 \times 99 + 125) \times 16 =$ ________.

二、选择题

5 下列各式中没有反映出简便运算的是( ).

(A) $19 + 199 + 1999 + 19\,999 = 20 + 200 + 2000 + 20\,000 - 4$

(B) $4500 \div 54 \times 6 = 4500 \div (54 \div 6)$

(C) $8 \times 240 \times 125 \div 48 = 1920 \times 125 \div 48$

(D) $10\,000 \div 2 \div 4 \div 5 \div 25 = 10\,000 \div (2 \times 4 \times 5 \times 25)$

6 一个两位数乘以101的积,就等于把这个两位数连写两遍所得的四位数,如:$32 \times 101 = 3232$;一个三位数乘以1001的积,就等于把这个三位数连写两遍所得的六位数,如:

$$125 \times 1001 = 125\,125.$$

下列计算题中，不能运用这两条规律进行巧算的是(　　).

(A) 573×101　　(B) 252×1001

(C) 101×78　　(D) $872 \times 7 \times 11 \times 13$

三、简算下列各题

7 75×16.

8 $981 + 5 \times 9810 + 49 \times 981$.

9 $1000 \div (25 \div 4)$.

10 $3333 \times 2222 \div 6666$.

11 $8 \div 7 + 9 \div 7 + 11 \div 7$.

12 $5445 \div 55$.

13 $1440 \times 976 \div 488$.

14 $5 \div (7 \div 11) \div (11 \div 16) \div (16 \div 35)$.

15 $2006 \times 2008 - 2005 \times 2009$.

第3讲

横式数字谜

横式数字谜问题是指算式是横式形式，并且只给出了部分运算符号和数字，有一些数字或运算符号"残缺"，要我们根据运算法则，进行判断、推理，从而把"残缺"的算式补充完整.

解这类问题时：第一步，要仔细审题；第二步要选择突破口；第三步试验求解. 这就要求我们能够灵活地运用运算法则和整数的性质，仔细观察算式的特点，学会发现问题、分析问题. 从这个意义上讲，研究和解决这类问题，有利于培养我们观察、分析、归纳、推理等能力.

例1 下列算式中，△、○、□、☆各代表什么数字？

(1) $△+△+△=129$；　　(2) $○+25=125-○$；

(3) $8\times□-51\div 3=47$；　　(4) $36-150\div☆=96\div 16$.

解 (1) △表示一个数，$△+△+△=△\times 3$，于是，

$$△=129\div 3=43；$$

(2) 先把左边 $(○+25)$ 看成一个数，根据"减数+差=被减数"，就有 $(○+25)+○=125$，$○\times 2=125-25$，

$$○=100\div 2=50；$$

(3) 把 $8\times□$、$51\div 3$ 分别看成一个数，得到

$$8\times□=47+51\div 3=64，$$

$$□=64\div 8=8；$$

(4) 把 $150 \div ☆$、$96 \div 16$ 分别看成一个数，得到

$$
\begin{aligned}
150 \div ☆ &= 36 - 96 \div 16, \\
150 \div ☆ &= 30, \\
☆ &= 150 \div 30, \\
☆ &= 5.
\end{aligned}
$$

说明 此组题的分析思考方法是先审题，分析算式的结构特征和数量之间的关系，再根据加、减、乘、除的运算法则，倒过来想，求出等式中的未知数.

当然，我们也可以用解方程的思考方法去解答.

随堂练习 1 下列各式中，$\square$代表什么数：

(1) $\square \times 9 + 6 \times \square = 600 \div 2$；

(2) $25 \times 25 - \square \div 3 = 610$.

例 2 在下列方框中填上适当的数，使等式成立：

(1) $\square \div 5 = 40 \cdots\cdots 3$；　　(2) $148 \div \square = 8 \cdots\cdots 4$.

分析 可根据有余数除法中，被除数＝除数×商＋余数，可得如下解法.

解 (1) 因为 $\square = 40 \times 5 + 3 = 203$，所以

$$\boxed{203} \div 5 = 40 \cdots\cdots 3.$$

(2) 因为 $\square = (148 - 4) \div 8 = 18$，所以 $148 \div \boxed{18} = 8 \cdots\cdots 4$.

随堂练习 2 在下面方框中填上适当的数，使等式成立.

(1) $213 \div \square = 16 \cdots\cdots 5$；

(2) $\square \div 9 = 30 \cdots\cdots 5$.

例 3 将数字 0, 1, 3, 4, 5, 6 填入下面的$\square$内，使等式成

立，每个空格只填入一个数字，并且所填的数字不能重复.

$$\square \times \square = \square 2 = \square\square \div \square$$

分析 积的个位是2，是个突破口. 由于所给的数字0，1，3，4，5，6中只有$3 \times 4 = 12$的个位是2，因此，可以先把前面的乘法算式填出来. 余下的0，5，6要组成一个两位数除以一个一位数得商是12的除法算式，只能是$60 \div 5$.

解 $\boxed{3} \times \boxed{4} = \boxed{1}2 = \boxed{6}\boxed{0} \div \boxed{5}$.

例4 在下列等号左边的每两个数之间，添上加号或减号，也可以用括号，使算式成立.

$$1\quad 2\quad 3\quad 4\quad 5 = 1$$

解 1，2，3，4，5这五个数之和是15，使若干个数加起来和是8，减去其余的数（和是7），于是可想到

$1 + 3 + 4 - (2 + 5) = 1$，或$1 + 2 + 5 - (3 + 4) = 1$，

整理得$1 - 2 + 3 + 4 - 5 = 1$，或$1 + 2 - 3 - 4 + 5 = 1$.

随堂练习3 在下面的式子里加上括号，使等式成立.

(1) $7 \times 9 + 12 \div 3 - 2 = 23$;

(2) $7 \times 9 + 12 \div 3 - 2 = 75$.

例5 添上适当的运算符号"＋、－、×、÷"，使以下等式成立.

$$1\quad 2\quad 3\quad 4 = 1$$

分析 我们采取逆推的方法，从左边的4逐步向前边考虑. 要使运算结果等于1，有多种情况：如果最后一个4的前面添"－"号，那么就变成：$1\quad 2\quad 3 - 4 = 1$. 这样，这个算式中减号前面的

数应组成 5. 通过分析得出 $1\times2+3=5$.

解 $$1\times2+3-4=1.$$

想一想 能不能用其他的方法解答.

例 6 添上适当的运算符号“+”、“−”、“×”、“÷”、“( )”,使得下面的算式成立.

$$5\quad5\quad5\quad5\quad5=10$$

分析 用逆推法,在最后一个 5 的前面可以添运算符号“+、−、×、÷”中的某一个.

如果添“+”号,由 $10=5+5$ 知,前面 3 个 5 就要组成 0,有以下几种情况:

$$(5-5)\times5=0;\ (5-5)\div5=0;\ 5\times(5-5)=0.$$

如果添“−”号,由 $10=15-5$ 知,前面 4 个 5 就要组成 15,可以写成:$5\times5-5-5$.

如果添“×”号,由 $10=2\times5$ 知,前面 4 个 5 就要组成 2,可以写成:$5\div5+5\div5$.

如果添“÷”号,由 $10=50\div5$ 知,前面 4 个 5 就要组成 50,可以写成:$5\times5+5\times5$.

解 有以下几种添法:

$$(5-5)\times5+5+5=10;$$
$$(5-5)\div5+5+5=10;$$
$$5\times(5-5)+5+5=10;$$
$$5\times5-5-5-5=10;$$
$$(5\div5+5\div5)\times5=10;$$
$$(5\times5+5\times5)\div5=10.$$

说明 此题还有其他解法,如:$55\div5-5\div5=10$ 等,这里不一一列举. 解题时,还应注意在运算过程中正确应用四则运算法则.

读一读

陈景润理发的故事

陈景润是我国著名的数学家，他不爱逛公园，不爱遛马路，就爱学习.他学习起来，常常忘记了吃饭和睡觉.

有一天，陈景润吃午饭的时候，摸摸脑袋发现头发太长了，应该去理一理了，要不，人家看见了，还当他是个姑娘呢.于是，他放下饭碗，就跑到理发店去了.

理发店里人很多，大家挨着次序理发.陈景润拿的牌子是三十八号.他想：轮到我还早着哩，时间是多么宝贵啊，我可不能白白浪费掉.他赶忙走出理发店，找了个安静的地方坐下来，然后从口袋里掏出个小本子，背起外文生词来.他背了一会，忽然想起上午读外文的时候，有个地方没看懂.不懂的东西，一定要把它弄懂，这是陈景润的脾气.他看了看表，才十二点半.他想：先到图书馆去查一查，再回来理发还来得及，于是站起来就走了.谁知道，他走了没多久，就轮到他理发了.理发员大声地叫："三十八号！谁是三十八号？快来理发！"你想想，陈景润正在图书馆里看书，他能听见理发员喊三十八号吗？

过了好些时间，陈景润在图书馆里，把不懂的东西弄懂了，这才高高兴兴地往理发店走去.可是他路过外文阅览室时发现有各式各样的新书，可好看啦.于是他又跑进去看起书来了.一直看到太阳下山了，他才想起理发的事儿来.他一摸口袋，那张三十八号的小牌子还好好地躺着哩.但是他来到理发店还有什么用呢，这个号码早已过时了.

陈景润就是这样忘我地工作.他在六平方米的宿舍里工作，掀起被褥在床板上运算；停电的时候，他就点起煤油灯夜战.

有志者事竟成.1973年，陈景润终于彻底突破了"1＋2"的难关，他的论文在"哥德巴赫猜想"研究方面，取得了绝对的世界领先地位.至此，人类对于"哥德巴赫猜想"的探索，离"1＋1"的"皇冠明珠”只有一步之遥了.

一位英国数学家写信祝贺陈景润说:“你移动了群山!”

为了移山,这位“当代愚公”付出了多么大的代价啊!

练　习　题

1 下面各式中,□代表什么数:

(1) $\square \times 17 + 43 = 400$;

(2) $(601 + \square) \times 9 = 7209$.

2 在下面方框中填上适当的数,使等式成立:

(1) $196 \div \square = 8 \cdots\cdots 4$;

(2) $\square \div 15 = 15 \cdots\cdots 10$.

3 □等于几时,下面的不等式成立:

(1) $12 < 7 \times \square < 29$;

(2) $1 < \square \div 3 - 1 < 4$.

4 如果 $\triangle = \bigcirc + \bigcirc + \bigcirc$, $\bigcirc \times \triangle = 12$, 那么 $\bigcirc =$ ________, $\triangle =$ ________.

5 在下列四个 4 中间,添上适当的运算符号“+”、“−”、“×”、“÷”和“(　　)”,组成 3 个不同的算式,使答数都是 2.

4　4　4　4 = 2

4　4　4　4 = 2

4　4　4　4 = 2

6 在批改作业时,张老师发现小明抄题时丢了括号,但结果是正确的,请你给小明的算式添上括号.

$$4 + 28 \div 4 - 2 \times 3 - 1 = 4$$

7 把运算符号“＋”、“－”、“×”、“÷”分别填入下面的○内，使等式成立．

$$(6\bigcirc 18\bigcirc 3)\bigcirc(7\bigcirc 2)=12$$

$$(6\bigcirc 12\bigcirc 5)\bigcirc(15\bigcirc 4)=7$$

8 在□内不重复地填上数字 1～9，使两个等式成立．

□÷□×□＝□□

□＋□－□＝□

9 把下列每组中四个数，用四则运算，并允许添加括号，组成一个算式，使结果等于 24．如：用 2，3，6，9 可组成：

$(2+6)\times 9\div 3=24$ 或 $(6-2)\times(9-3)=24$．

(1) 1，3，5，9；

(2) 1，3，5，7；

(3) 2，5，6，10；

(4) 2，2，8，8；

(5) 4，5，7，9；

(6) 3，7，8，8．

10 选择“＋、－、×、÷、＝”符号，使数字塔每一层成为等式．如果两个数字之间没加任何符号，可看成一个两位数．如：

第二层 $12\div 3=4$ 或 $12=3\times 4$．

1 2 3

1 2 3 4

1 2 3 4 5

1 2 3 4 5 6

1 2 3 4 5 6 7

1 2 3 4 5 6 7 8

第4讲

竖式数字谜

竖式数字谜是一种猜数的游戏.解竖式数字谜,就得根据有关的运算法则、数的性质(和差积商的位数,数的整除性、奇偶性、尾数规律等)来进行正确地推理、判断.

解答竖式数字谜时应注意以下几点:

(1) 空格中只能填写 0, 1, 2, 3, 4, 5, 6, 7, 8, 9,而且最高位不能为 0;

(2) 进位要留意,不能漏掉了;

(3) 答案有时不唯一;

(4) 两数字相加,最大进位为 1,三个数字相加最大进位为 2;

(5) 两个数字相乘,最大进位为 8;

(6) 相同的字母(汉字或符号)代表相同的数字,不同的字母(汉字或符号)代表不同的数字.

例1 下面的算式中,只有 5 个数字已写出,请补上其他数字.

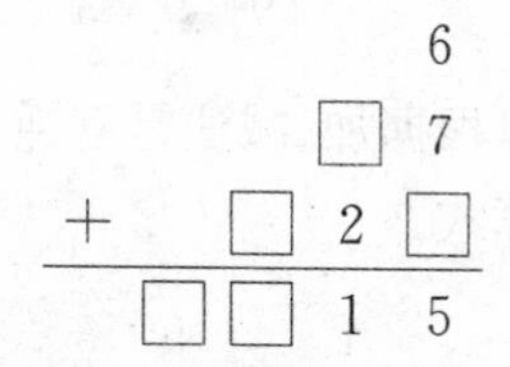

分析 在 5 个方格中,要各填一个数字,使算式成立,先填哪一个呢? 做这类题目,要善于发现问题的"突破口".

从百位进位来看，和的千位数字只能是1.从十位相加来看，进位到百位，也只能进1.因此，□2□的百位是9，和的百位是0.通过上面的分析，就找到了这道题目的“突破口”.

再从 $15-7-6=2$，$11-2-1=8$，就可得出算式.

解

$$
\begin{array}{r}
6 \\
\boxed{8}\ 7 \\
+\ \boxed{9}\ 2\ \boxed{2} \\
\hline
\boxed{1}\ \boxed{0}\ 1\ 5
\end{array}
$$

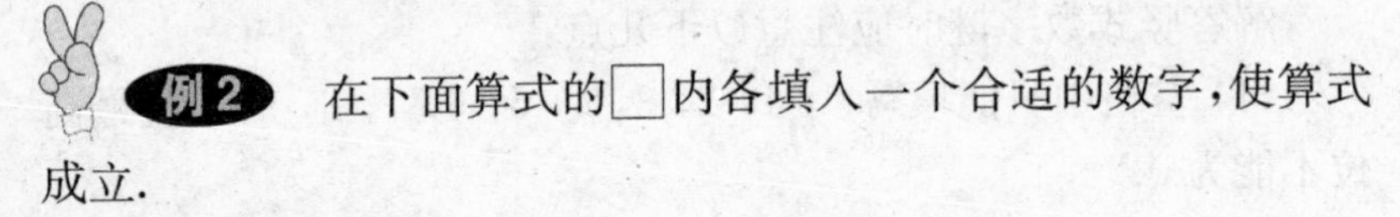

例2 在下面算式的□内各填入一个合适的数字，使算式成立.

$$
\begin{array}{r}
\square\ 0\ 0\ \square \\
-\ 5\ 0\ \square\ 9 \\
\hline
1\ \square\ 9\ 3
\end{array}
$$

分析 由于 $12-9=3$，所以被减数的个位数字为2；再看十位，由于 $9-0=9$，所以减数的十位数字为0；再看百位，由于 $9-0=9$，所以差的百位数字为9；最后看千位，由于 $7-5-1=1$，所以被减数的千位数字为7.

解

$$
\begin{array}{r}
\boxed{7}\ 0\ 0\ \boxed{2} \\
-\ 5\ 0\ \boxed{0}\ 9 \\
\hline
1\ \boxed{9}\ 9\ 3
\end{array}
$$

说明 本题还可以根据加、减法是互逆运算的关系，将减法算式转化成下面的加法算式：

$$
\begin{array}{r}
1\ \square\ 9\ 3 \\
+\ 5\ 0\ \square\ 9 \\
\hline
\square\ 0\ 0\ \square
\end{array}
$$

同学们自己试一试填写算式.

随堂练习 1 在下面竖式的空格内,各填入一个合适的数字,使竖式成立.

例 3 请在下面算式的□里填上合适的数字,使算式成立:

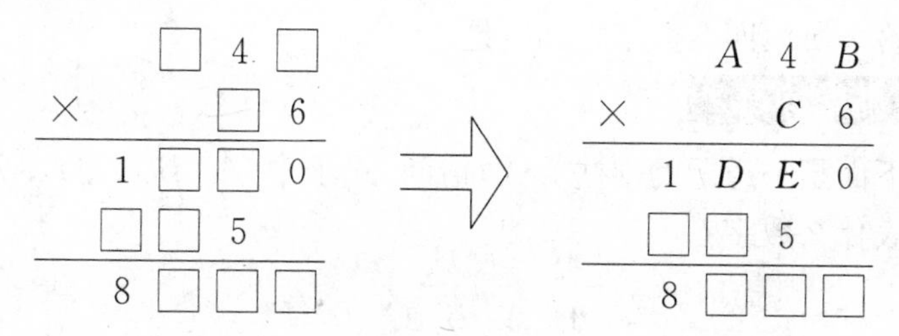

分析 为了便于叙述,我们将部分方格用字母代替.

第一步,由 $A4B\times6$ 的个位数为 0 可知, $B=5$.

第二步,由 $A45\times6=1DE0$ 可知, A 只能为 2 或 3. 当 A 为 3 时, $345\times6=2070$, 不可能等于 $1DE0$, 不合题意, 故 $A=2$.

第三步,由 $245\times C=\square\square5$ 可知 C 是小于 5 的奇数, 即 C 只可能是 1 或 3. 当 C 取 1 时, $245\times16=3920<8\square\square\square$, 不合题意. 所以 C 不能取 1, 只能取 3, 故 $C=3$.

这样,就可以填上所有的空格.

解

$$\begin{array}{r} \boxed{2}\;4\;\boxed{5} \\ \times\quad \boxed{3}\;6 \\ \hline 1\;\boxed{4}\;\boxed{7}\;0 \\ \boxed{7}\;\boxed{3}\;5\quad \\ \hline 8\;\boxed{8}\;\boxed{2}\;\boxed{0} \end{array}$$

例 4　下面是一个乘法算式，问：当乘积最大时，所填的四个数字的和是多少？

$$\begin{array}{r} \square\square \\ \times\quad 5 \\ \hline \square\square \end{array}$$

分析　根据能被 5 整除的数的特征，得出 95 是能被 5 整除的最大两位数.

解　$95 \div 5 = 19$.

答　所填四个数字之和应是 $9 + 5 + 1 + 9 = 24$.

随堂练习 2

下面是一道题的乘法算式，请问：式子中，A、B、C、D、E 分别代表什么数字？

$$\begin{array}{r} 1\ A\ B\ C\ D\ E \\ \times\qquad\qquad 3 \\ \hline A\ B\ C\ D\ E\ 1 \end{array}$$

例 5　在下面竖式的□里填入合适的数字，使竖式成立.

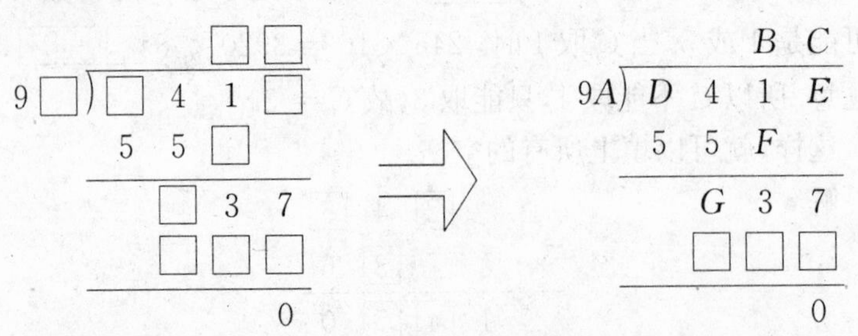

分析　为了便于叙述，用字母表示部分方格.

第一步，由 $1 < 3$ 可知，1 减 F 时应借位，由 $11 - F = 3$ 得 $F = 8$.

第二步,由 $4 < 5$ 可知,相减时也必须借位,所以 $D = 6$.

第三步,由 $9A \times B = 558$ 可知,$B = 6$, $A = 3$.

第四步,由 $641 - 558 = 83$ 可知,$G = 8$.

第五步,由 $837 \div 93 = 9$ 可知,$C = 9$.

这样,就可以填上所有的空格.

解

```
              [6][9]
9[3] ) [6] 4 1 [7]
        5 5 [8]
      ------------
          [8] 3 7
          [8][3][7]
      ------------
                0
```

随堂练习 3

在下面竖式的□里,填入合适的数字,使竖式成立.

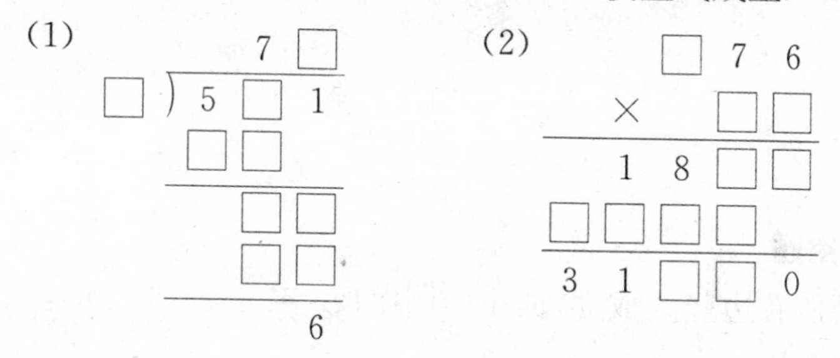

读一读

G · 波利亚的解题步骤

第一步:弄清问题

这里的弄清问题,就是要求我们学会观察. 观察是智慧的窗口,学习知识、应用知识和发现新的知识,都是从观察开始的. 观察就是正确、全面地理解原始问题的含义,分析问题中的信息,并将这些信息进行分解和编码.为了更有效地观察,常常需要我们画图和引入适当的符号.

第二步:拟订计划

这里的拟订计划,就是要求我们学会分析问题,善于联想,建立已知与未知之间的联系,并善于转化,将复杂的问题转化为简单的问题,将不熟悉的问题转化为熟悉的问题.转化是解决问题的最基本的策略.观察、联想、转化通常被称为解题三步曲.

第三步:实现计划

这里的实现计划,就是要求我们学会综合,把解决问题的过程简洁地表达出来,它是解决问题的成果展示.

第四步:回顾

这里的回顾,即验算所得到的解,就是要求我们学会检验结果,它是完善和总结成果的重要环节.同时,回顾也是体验、总结和积累方法的过程.

练 习 题

一、填空题

1 要使右边竖式成立,四个□中的数字之和为________.

$$\begin{array}{r} \square\square \\ +\ \square\square \\ \hline 198 \end{array}$$

2 要使右边竖式成立,三个□中的数字之和最小为________.

$$\begin{array}{r} 1\square\square \\ -\ \square 6 \\ \hline 29 \end{array}$$

3 要使右边竖式成立,三个□中的数字之和为________.

$$\begin{array}{r} \square 58\square \\ \times\ 6 \\ \hline 9\square 04 \end{array}$$

4 要使右边竖式成立，则 $A+B+C=$ ________.

$$\begin{array}{r} 5\ 7\ 8 \\ -\ A\ B\ C \\ \hline A\ B\ C \end{array}$$

二、选择题

5 右边竖式中 x 为（　　）时，竖式才可能成立.

(A) 1　　(B) 2

(C) 3　　(D) 7

$$\begin{array}{r} 3\ 2\ 5 \\ -\ x\ 8\ y \\ \hline 3\ z \end{array}$$

6 右边竖式中的乘数应是（　　），才可能使竖式成立.

(A) 4　　(B) 6

(C) 2　　(D) 5

$$\begin{array}{r} 2\ \square\ 5 \\ \times\quad\ \ \square \\ \hline 9\ 4\ 0 \end{array}$$

7 右边竖式的 x、y 为（　　）时，竖式才能成立.

(A) $x=5$, $y=7$

(B) $x=6$, $y=7$

(C) $x=5$, $y=8$

(D) $x=6$, $y=8$

$$\begin{array}{r} y\ 3 \\ 8\,\overline{)\,x\ 8\ 4} \\ 5\ 6\ \ \ \\ \hline 2\ 4 \\ 2\ 4 \\ \hline 0 \end{array}$$

8 右边竖式由 1, 2, 3, 4, 5, 6, 8 这七个数组成，乘数应是（　　），才可使竖式成立.

(A) 1　(B) 2　(C) 3　(D) 4

$$\begin{array}{r} \square\ \square\ 2 \\ \times\quad\ \ \square \\ \hline \square\ \square\ \square \end{array}$$

三、解答题

9 填上适当的数，使算式成立.

(1)
$$\begin{array}{r} \square\ 6\ \square\ \square \\ +\ 2\ \square\ 1\ 5 \\ \hline 8\ 0\ 9\ 1 \end{array}$$

(2)

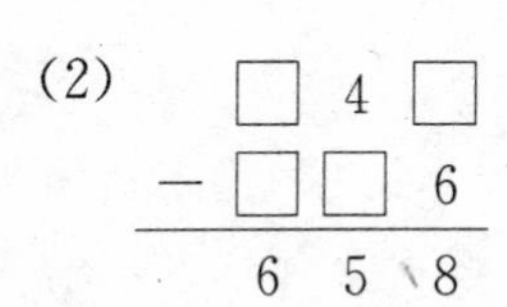

10 下面的算式是由 1，2，…，8，9，0 十个数字组成，你能把其中□内的数字填上吗？

$$\begin{array}{r} \square\ 2\ \square \\ +\ 3\ \square\ 5 \\ \hline \square\ 0\ \square\ 9 \end{array}$$

11 被乘数、乘数关系如下，问被乘数、积各是多少？

$$\begin{array}{r} \square\square\square\square \\ \times\quad\quad 8 \\ \hline \square\ 5\ 6\ 3\ 2 \end{array}$$

12 在(　　)里填上适当的数，使算式成立.

$$\begin{array}{r} 6\ (\ \ ) \\ \times\ 3\ \ 5 \\ \hline 3\ \ 3\ (\ \ ) \\ 1\ (\ \ )\ 8\ \ \ \\ \hline (\ \ )(\ \ )(\ \ )(\ \ ) \end{array}$$

13 在(　　)里填数，使下面的算式成立.

$$\begin{array}{r} 1\ (\ \ ) \\ (\ \ )(\ \ )\overline{)\ 1\ (\ \ )\ 2} \\ 1\ (\ \ )\ \ \ \ \\ \hline 7\ (\ \ ) \\ (\ \ )(\ \ ) \\ \hline 0 \end{array}$$

第 5 讲

在变化中找规律

事物的发展是有规律的，只有认真观察事物，找到事物发展变化的规律，才能深入地了解和掌握它，从而找到解决问题的方法和途径．在数学竞赛中，常常会出现一些数或者图形，它们的计算或者排列有一定的规律，我们要通过观察、思考发现这些规律，也就是发现和总结数与数、图形与图形的内在联系和变化规律，然后就能分析和解决问题．

例 1 根据下面四个算式，能否发现其中规律，然后在□中，填入适当的数．

$$1\times5+4=9=3\times3;$$
$$2\times6+4=16=4\times4;$$
$$3\times7+4=25=5\times5;$$
$$4\times8+4=36=6\times6;$$
$$10\times\square+4=\square=\square\times\square;$$
$$\square\times\square+4=\square=\square\times102.$$

解 四个算式中最重要的规律是被乘数与乘数相差 4．

$$10+4=14,$$

就有

$$10\times\boxed{14}+4=\boxed{144}=\boxed{12}\times\boxed{12}.$$

又 $$102 \times 102 = 10\,404,$$
$$10\,404 - 4 = 10\,400 = 100 \times 104,$$

于是得

$$\boxed{100} \times \boxed{104} + 4 = \boxed{10\,404} = \boxed{102} \times 102.$$

例 2 请先计算下面一组算式的前三题，然后找出其中的规律，并根据规律直接写出后六题的得数.

$$1 \times 8 + 1 = \_\_\_\_\_\_\_\_;$$
$$12 \times 8 + 2 = \_\_\_\_\_\_\_\_;$$
$$123 \times 8 + 3 = \_\_\_\_\_\_\_\_;$$
$$1234 \times 8 + 4 = \_\_\_\_\_\_\_\_;$$
$$12\,345 \times 8 + 5 = \_\_\_\_\_\_\_\_;$$
$$123\,456 \times 8 + 6 = \_\_\_\_\_\_\_\_;$$
$$1\,234\,567 \times 8 + 7 = \_\_\_\_\_\_\_\_;$$
$$12\,345\,678 \times 8 + 8 = \_\_\_\_\_\_\_\_;$$
$$123\,456\,789 \times 8 + 9 = \_\_\_\_\_\_\_\_.$$

分析 这组中的九个算式都是两个数的积加上一个数，数字的排列很有规律. 通过计算，我们得出前三题的结果：

$$1 \times 8 + 1 = 9;$$
$$12 \times 8 + 2 = 98;$$
$$123 \times 8 + 3 = 987.$$

不难看出得数的变化规律：得数的位数与被乘数相同，最高位上的数是 9，其余数位上的数依次是 8，7，6，5，4，….

解 后六题的得数是：

$$1234 \times 8 + 4 = 9876;$$
$$12\,345 \times 8 + 5 = 98\,765;$$

$$123\,456\times 8+6=987\,654;$$
$$1\,234\,567\times 8+7=9\,876\,543;$$
$$12\,345\,678\times 8+8=98\,765\,432;$$
$$123\,456\,789\times 8+9=987\,654\,321.$$

随堂练习 1

(1) 找规律,在□里填上适当的数.

1

2　4

3　6　9

4　8　12　16

5　□　□　□　□

6　12　□　□　□　□

(2) 找规律,填得数.

$12\,345\,679\times 9=111\,111\,111$;

$12\,345\,679\times 18=$ ________;

$12\,345\,679\times 27=$ ________;

$12\,345\,679\times 36=$ ________;

$12\,345\,679\times 54=$ ________;

$12\,345\,679\times 45=$ ________;

$12\,345\,679\times 81=$ ________;

$12\,345\,679\times 72=$ ________;

$12\,345\,679\times 63=$ ________.

例 3 根据下列方框或等式中出现的数的规律,在括号内填上适当的数.

(1) 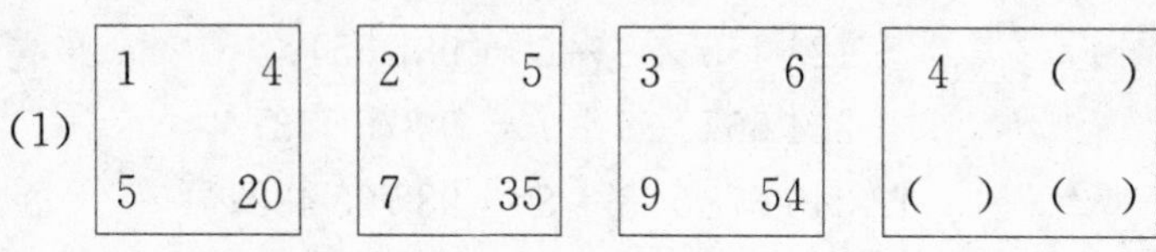

(2) $2^2 = 1^2 + 3$;

$3^2 = 2^2 + 5$;

$4^2 = 3^2 + 7$;

$5^2 = 4^2 + 9$;

……

$24^2 = (\quad)^2 + (\quad)$.

分析 (1) 方框内上面两个数的差是 3,且方框内下面第一个数是上面两个数的和,第二个数是方框内上面第二个数与下面第一个数的乘积,根据这一规律,括号内应填上 7, 11 和 77.

(2) 从已给出的四个算式进行移项得到:

$$2^2 - 1^2 = 3,\ 3^2 - 2^2 = 5,\ 4^2 - 3^2 = 7,\ 5^2 - 4^2 = 9.$$

说明相邻自然数的平方相减的差等于这两个自然数的和,根据这一定规律,括号内应该填上 23 和 47.

解 (1)

4	(7)
(11)	(77)

(2) $24^2 = (23)^2 + (47)$.

例 4 按规律填数.

(1) {1, 5, 10}, {2, 10, 20}, {3, 15, 30}, {　　　　　}, {　　　　　};

(2) 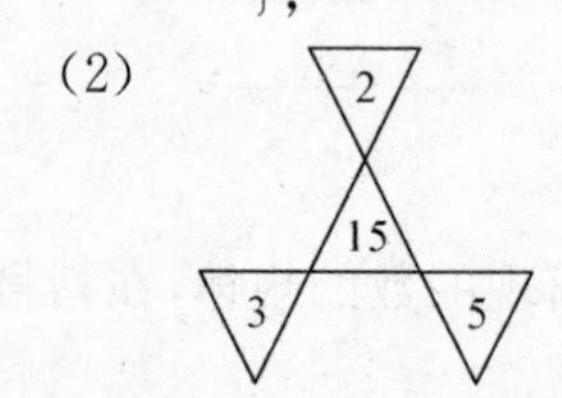

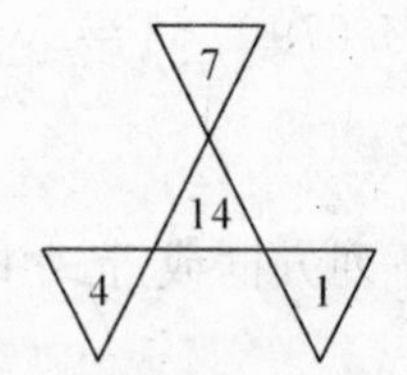

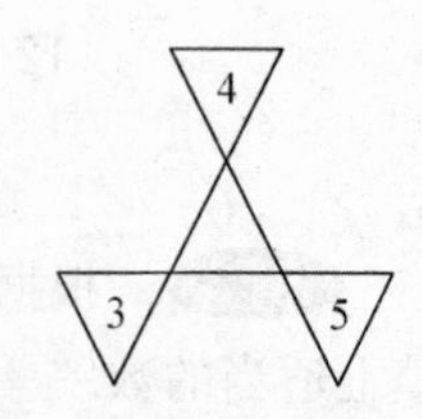

分析 (1) 观察已知三组数,发现:每组数中的第一个数是这个组的序号数,第二个数是第一个数的 5 倍,第三个数是第一个数的 10 倍;

(2) 前两组中,外围三个三角形内的三个数的乘积是中间三角形内的数的 2 倍,也就是中间三角形的数应是外围三个三角形内的三个数乘积的一半.

解 (1) 第四组为{4, 20, 40},第五组为{5, 25, 50};

(2) 因为 $3 \times 4 \times 5 \div 2 = 30$,所以应填 30.

随堂练习 2

(1) 按规律填数.

① 2, 3, 5, 8, 13, 21, (　　);

② 1, 4, 9, 16, (　　), (　　);

③ 6, 3, 8, 5, 10, 7, 12, 9, (　　), (　　).

(2) 找出规律后,直接填写出括号内的数.

1 999 998 ÷ 9 = 222 222;

(　)999 99(　) ÷ 9 = 333 333;

(　)999 99(　) ÷ 9 = 444 444;

(　)999 99(　) ÷ 9 = 555 555;

(　)999 99(　) ÷ 9 = 666 666;

(　)999 99(　) ÷ 9 = 777 777;

(　)999 99(　) ÷ 9 = 888 888;

(　)999 99(　) ÷ 9 = 999 999.

例 5 如图 5－1,一张黑白相间的方格纸,如果用记号(2, 3)表示从上往下数第 2 行且从左往右数第 3 列的这一格,那么(18, 7)这一格是黑色还是白色?

解 (1, 1)是黑格,括号中一个数加 1 后就是白格,也就是两个数中，有一个数加 1 后，就改变一次颜色.(1, 1)是(奇数，奇数)，我们就知道(奇数，偶数)和(偶数，奇数)是白格；(奇数，奇数)和(偶数，偶数)是黑格.

因此(18, 7)是白色的格子.

想一想 (99, 102)和(200, 198)这两格是黑色还是白色？

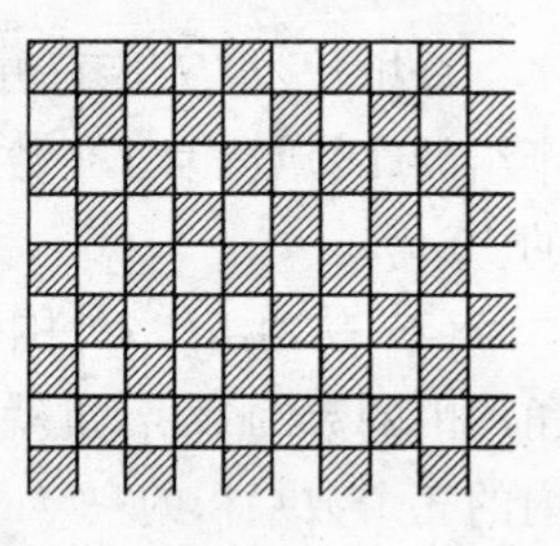

图 5－1

例 6 如图 5－2，在七色球下面，按照图示的规律，依次逐个写自然数. 问：2008 在什么颜色的球下面？

赤	橙	黄	绿	青	蓝	紫
1	2	3	4	5	6	7
13	12	11	10	9	8	
	14	15	16	17	18	19
25	24	23	22	21	20	
	26	27	…	…	…	…

图 5－2

解 1 到 12 算第一段，13 到 24 算第二段，每 12 个数算一段，每段都是从赤色开始到紫色后再回到橙色结束. 因此也可以看作是周期为 12 的循环. 因为

$$2008 \div 12 = 167 \cdots\cdots 4,$$

所以 2008 是在绿色球的下面.

随堂练习 3

有 249 朵花，按照 5 朵红花、9 朵黄花、13 朵绿花的顺序循环排列. 问：最后一朵花是什么颜色？这 249 朵花中，绿花有多少朵？

读一读

“0”的故事

小朋友,你们都知道,1, 2, 3, 4, 5, 6, 7, 8, 9, 0 这 10 个阿拉伯数字是数学的最基本的符号,有了它,我们才能进行数学运算,而“0”则是其中不可缺少的. 有了“0”,我们在记数、读数等方面,有很多方便. 不过,你们也许不知道,“0”这个数码在当初传入欧洲的时候,还发生过一段挺让人气愤的故事呢!

大约 1500 年前,欧洲的数学家们是不知道用“0”的,他们使用罗马数字. 罗马数字是用几个表示数的符号,按照一定规则,把它们组合起来表示不同的数目. 在这种数字的运用里,是不需要“0”这个数字的.

当时,罗马帝国有一位学者从印度记数法里发现了“0”这个符号. 他发现,有了“0”,进行数学运算方便极了,他非常高兴,还把印度人使用“0”的方法向大家作了介绍. 过了一段时间,这件事被当时的罗马教皇知道了. 当时是欧洲的中世纪,教会的势力非常大,罗马教皇的权力更是远远超过皇帝. 教皇非常恼怒,他斥责说,神圣的数是上帝创造的,在上帝创造的数里没有“0”这个怪物,如今谁要把它给引进来,谁就是亵渎上帝! 于是,教皇就下令,把这位学者抓了起来,并对他施加了酷刑,用夹子把他的十个手指紧紧夹住,使他两手残废,再也不能握笔写字了. 就这样,“0”被那个愚昧、残忍的罗马教皇明令禁止了.

虽然“0”被禁止使用,然而罗马的数学家们不管禁令,在数学研究中仍秘密地使用“0”,仍用“0”作出了很多数学上的贡献. 后来“0”终于在欧洲被广泛使用,而罗马数字却用得越来越少了.

练　习　题

一、填空题

1～4 题中的数都是按一定规律排列的，请在括号里和空格里填上适当的数.

1 1，11，22，34，47，(　　).

2 1，3，9，27，81，(　　).

3 81，64，49，36，(　　)，16，9.

4

5	11	6
3	18	15
8		4

5 找规律填空.

$$11\times11=121;$$
$$111\times111=12\,321;$$
$$1111\times1111=1\,234\,321;$$
$$11\,111\times11\,111=\underline{\qquad\qquad};$$
$$\cdots\cdots$$
$$\underline{\qquad\qquad}\times\underline{\qquad\qquad}=1\,234\,567\,654\,321.$$

6 如图，有一个六边形点阵，它中心的一个点算作第一层，从内往外依次为第二层，第三层……

第一层有 1 个点，

第二层有 $1\times6=6$ (个)点，

第三层有 $2\times6=12$ (个)点，

第四层有 $3\times6=18$ (个)点，

……

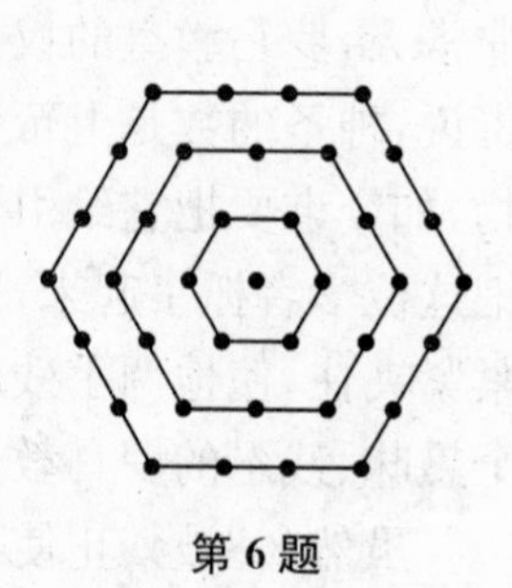

第 6 题

第 50 层有________个点.

二、选择题

7 1，________，333，4444．55 555．________上应填（　　）．

(A) 2　　(B) 22

(C) 222　　(D) 2222

8 3，7，15，________，63．________上应填（　　）．

(A) 46　　(B) 27

(C) 30　　(D) 31

9 如图所示，图(1)中有 $1+2\times2=5$（个）正方形，图(2)中有 $1+2\times2+3\times3=14$（个）正方形，图(3)中有（　　）个正方形．

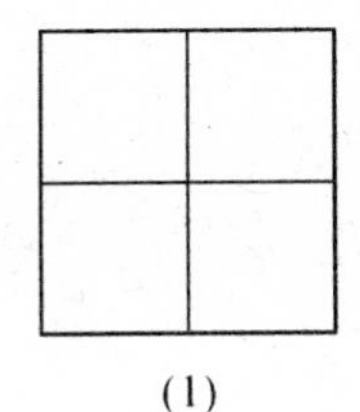
(1)

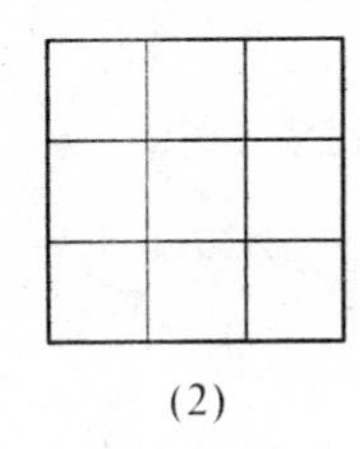
(2)

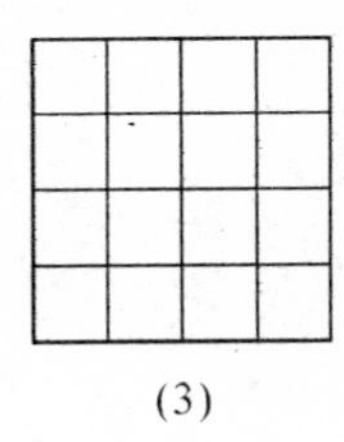
(3)

第 9 题

(A) 23　　(B) 30　　(C) 33　　(D) 20

10 2 条直线最多有 1 个交点，3 条直线最多有 3 个交点，4 条直线最多有 6 个交点，5 条直线最多有（　　）个交点．

(A) 9　　(B) 8　　(C) 11　　(D) 10

三、简答题

11 观察规律，在空白处填上适当的数．

(1)

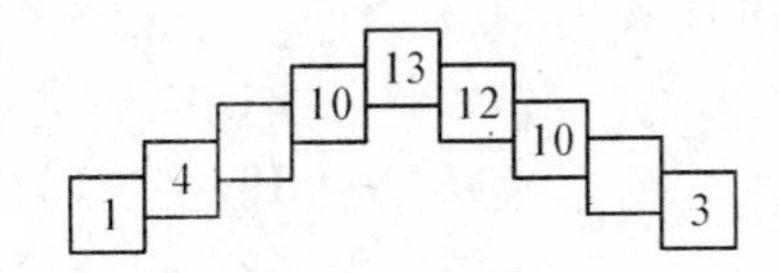

（2）

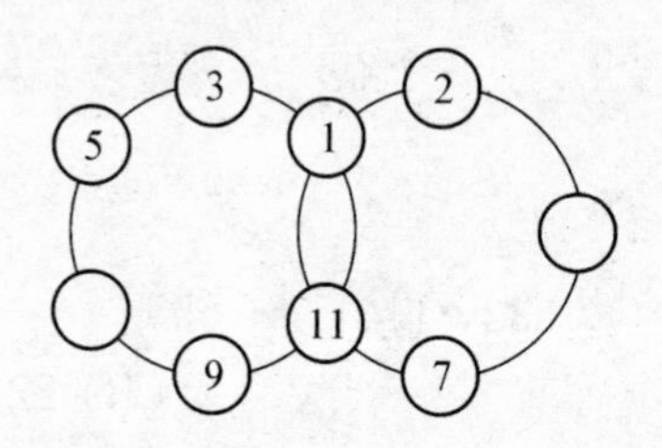

12 按规律填数.

11	9
5	4

7	9
2	8

13	8
3	7

	5
7	2

13 观察规律巧填数.

（1）

$1 \times 9 + 1 = 10$；

$\underline{\quad} \times 9 + 2 = 101$；

$111 \times 9 + \underline{\quad} = 1002$；

$\underline{\qquad} \times 9 + 4 = \underline{\qquad\qquad}$；

$\underline{\qquad\qquad} \times 9 + \underline{\quad} = \underline{\qquad\qquad}$；

……

$\underline{\qquad\qquad} \times 9 + \underline{\quad} = \underline{\qquad\qquad}8$.

（2）

1

1　1

1　2　1

1　3　3　1

1　4　6　4　1

1　（　）　（　）　（　）　（　）　1

14 找出规律后填空.

（1）

40	24	8
45	19	13
27	3	（　）
（　）	16	17

(2) 根据 $273\times37=10\,101$，不计算填出：

$91\times15\times37=$ ________；

$91\times21\times37=$ ________；

$91\times27\times37=$ ________.

15 边长为1厘米的正方体，如图这样层层重叠放置.

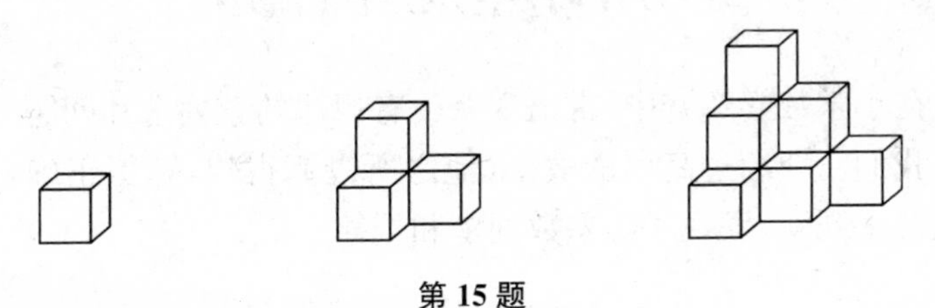

第15题

(1) 当重叠到5层时，有多少个正方体？

(2) 5层时，这个立体的表面积是多少？

第 6 讲

利用等差规律计算

在小学数学竞赛中，常出现一类有规律的数列求和问题. 在三年级我们已介绍过高斯的故事，他之所以算得快，算得正确，就在于他善于观察，发现了等差数列求和规律.

$$
\begin{aligned}
&1+2+3+\cdots+98+99+100\\
&=\underbrace{(1+100)+(2+99)+\cdots+(50+51)}_{\text{共50个101}}\\
&=101\times 50,
\end{aligned}
$$

即 $$(100+1)\times(100\div 2)=101\times 50=5050.$$

按一定次序排列的一列数叫做数列. 数列中的数称为项，第一个数叫第一项，又叫首项；第二个数叫第二项……最后一个数叫末项. 如果一个数列从第二项开始，每一项与它前面一项的差都相等，就称这个数列为等差数列. 后项与前项的差叫做这个数列的公差. 如：

1, 2, 3, 4, … 是等差数列，公差为 1；

1, 3, 5, 7, … 是等差数列，公差为 2；

5, 10, 15, 20, … 是等差数列，公差为 5.

由高斯的巧算可知，在等差数列中，有如下规律：

$$
\begin{aligned}
\text{项数}&=(\text{末项}-\text{首项})\div\text{公差}+1\\
\text{第几项}&=\text{首项}+(\text{项数}-1)\times\text{公差}\\
\text{总和}&=(\text{首项}+\text{末项})\times\text{项数}\div 2
\end{aligned}
$$

本讲用各种实例展示了等差数列的广泛应用价值，我们要求同学们注意灵活应用这三个公式.

例1 计算下面各题:

(1) $2+5+8+\cdots+23+26+29$;

(2) $(2+4+6+\cdots+100)-(1+3+5+\cdots+99)$.

解 (1) 这是一个公差为3、首项为2、末项为29、项数为$(29-2)\div3+1=10$的等差数列求和.

$$原式=(2+29)\times10\div2=31\times10\div2=155.$$

(2) **解法一**

$$\begin{aligned}原式&=(2+100)\times50\div2-(1+99)\times50\div2\\&=2550-2500=50;\end{aligned}$$

解法二

$$\begin{aligned}原式&=(2-1)+(4-3)+(6-5)+\cdots+(100-99)\\&=1\times50=50.\end{aligned}$$

说明 两种解法相比较,解法一直接套公式,平平淡淡;解法二从整体上把握了题目的运算结构和数字特点,运用交换律和结合律把原式转化成了整齐的结构"$1+1+\cdots+1$",因而解得更巧、更好.

例2 计算:$1\div2008+2\div2008+3\div2008+\cdots+2006\div2008+2007\div2008+2008\div2008$.

分析 如果按照原式的顺序,先算各个商,再求和,既繁又难.由于除数都相同,被除数组成一个等差数列:

$$1,2,3,4,\cdots,2006,2007,2008.$$

所以可根据除法的运算性质,先求全部被除数的和,再求商.

解 $$\begin{aligned}原式&=(1+2+3+\cdots+2007+2008)\div2008\\&=(1+2008)\times2008\div2\div2008\\&=1004.5\end{aligned}$$

说明　此题解法巧在根据题目特点，运用除法性质进行转化. 计算中又应用乘除混合运算的简化运算，使整个解答显得简捷明快.

随堂练习 1　计算：

(1) $1+3+5+\cdots+197+199$；

(2) $81+79+\cdots+13+11$；

(3) $1-2+3-4+5-6+\cdots+2007-2008+2009$.

例 3　育才小学举办"迎春杯"数学竞赛，规定前十五名可以获奖. 比赛结果第一名 1 人，第二名并列 2 人，第三名并列 3 人……第十五名并列 15 人. 用最简便方法计算出得奖的一共有多少人?

分析　通过审题可知，各个名次的获奖人数正好组成一个等差数列：1, 2, 3, …, 15. 因此，根据求和公式可以求出获奖总人数.

解

$$\begin{aligned}&(1+15)\times 15\div 2\\=&16\times 15\div 2\\=&120(\text{人}).\end{aligned}$$

答　竞赛中得奖的人数一共有 120 人.

例 4　某体育馆西侧看台有 30 排座位，后面一排都比前面一排多 2 个座位，最后一排有 132 个座位，体育馆西侧看台共有多少个座位?

分析　要求这 30 个数的和，必须知道第一排的座位数，而最后一排的座位数是由第一排座位数加上 $(30-1)\times 2$ 得出来的，这样就可以求出第一排的座位数.

解　第一排座位数为

$$132-2\times(30-1)=132-58=74(\text{个}),$$

所以　$(74+132)\times 30\div 2=206\times 30\div 2=3090(\text{个})$.

答 西侧看台共有 3090 个座位.

随堂练习 2

(1) 按一定规律排列的算式：$4+2$，$5+8$，$6+14$，$7+20$，…，那么第 100 个算式是什么？

(2) 如图，一个堆放铅笔的 V 形架的最下面一层放 1 支铅笔，往上每一层都比它下面一层多放 1 支，最上面一层是 120 支. 这个 V 形架上共放着多少支铅笔？

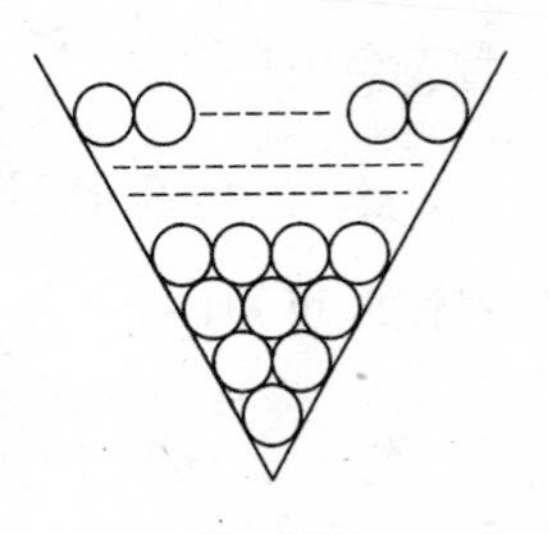

第(2)题

例 5 学校进行乒乓球选拔赛，每个参赛选手都要和其他所有选手赛 1 场.

(1) 若有 20 人参赛，那么一共要进行多少场选拔赛？

(2) 若一共进行了 78 场比赛，有多少人参加了选拔赛？

分析 设 20 个选手分别是 A_1，A_2，A_3，…，A_{20}，我们从选手 A_1 开始按顺序分析比赛场次：

A_1 必须和 A_2，A_3，A_4，…，A_{20} 这 19 人各赛 1 场，共计 19 场；

A_2 已和 A_1 赛过，他只需和 A_3，A_4，A_5，…，A_{20} 这 18 名选手各赛 1 场，共计 18 场；

A_3 已和 A_1，A_2 赛过，他只需与 A_4，A_5，A_6，…，A_{20} 这 17 名选手各赛 1 场，共计 17 场；

依次类推，最后，A_{19} 只能和 A_{20} 赛 1 场.

然后对各参赛选手的场次求和即可.

解 (1) 这 20 名选手一共需赛

$$
\begin{aligned}
&19+18+17+\cdots+2+1\\
=&(19+1)\times 19\div 2\\
=&190(\text{场}).
\end{aligned}
$$

(2) 设参赛选手有 n 人，则比赛场次是

$$1+2+3+\cdots+(n-1),$$

根据题意有

$$1+2+3+\cdots+(n-1)=78,$$

经过试验可知，

$$1+2+3+\cdots+12=78,$$

于是

$$n-1=12,$$

$$n=13.$$

所以，一共有 13 人参赛.

说明 (1) 也可这样想，20 人每人都要赛 19 场，但“甲与乙”、“乙与甲”只能算一场，因此，共进行 $20\times19\div2=190$(场) 比赛.

(2) 采用了试验法，这是一种很实用的方法，希望同学们能熟练掌握.

随堂练习 3

(1) 有 12 个同学聚会，如果见面时每个人都和其余的人握手 1 次，那么一共握手多少次？

(2) 聚会结束时，统计出一共握手 36 次，如果参加聚会的每个人都和其他人握手 1 次，问：有多少人参加聚会？

读一读

从 1 加到 100 等于几？

高斯八岁时进入乡村小学读书，教他数学的老师是一个从城里来的人，觉得在一个穷乡僻壤教几个小猢狲读书，真是大材小用了. 他认为：穷人的孩子天生都是笨蛋，教这些蠢笨的孩子念书不必认真，如果有机会还应该处罚他们，使自己在这枯燥的生活里添

一些乐趣.

这一天正是数学教师情绪低落的一天.看到老师那张抑郁的脸孔,同学们心里畏缩起来,知道老师又会在今天找这些学生的麻烦了.

“你们今天给我算从1加2加3……一直加到100的和.谁算不出来就罚他不能回家吃午饭.”老师讲了这句话后就一言不发的拿起一本小说坐在椅子上看去了.

教室里的小朋友们拿起石板开始计算:“1加2等于3,3加3等于6,6加4等于10……”一些小朋友加到一个数后就擦掉石板上的结果,再加下去,数越来越大,很不好算.有些孩子的小脸儿涨红了,有些孩子手心、额上都渗出了汗.

还不到一分钟的功夫,小高斯拿起了他的石板走上前去:“老师,答案是不是这样?”

老师头也不抬,挥着那肥厚的手,说:“去,回去再算!错了.”他想,不可能这么快就会有答案了.

可是高斯却站着不动,把石板伸到老师面前:“老师!我想这个答案是对的.”

数学老师本来想怒吼起来,可是一看石板上整整齐齐写了这样的数:5050.他惊奇起来,因为他自己曾经算过,得到的数也是5050.这个8岁的孩子,用不到一分钟的时间就算出了正确的得数.他问小高斯:“你是怎么算的?”小高斯回答说:“我不是按照1、2、3的次序一个一个往上加的.老师,你看,一头一尾的两个数的和都是一样的:1加100是101,2加99是101,3加98也是101……把一前一后的数两两相加,一共有50个101,101乘以50,得5050.”

小高斯的回答，使老师感到吃惊，因为他还是第一次知道这种算法. 他惊喜地看着小高斯，好像刚刚认识这个穿着破烂不堪的砌砖工人的儿子.

不久，老师专门买了一本数学书送给小高斯，鼓励他继续努力，还把小高斯推荐给教育当局，使他得到免费教育的待遇. 后来，小高斯成了世界著名的数学家.

练 习 题

一、填空题

1 $0+1+2+\cdots+100+101=$ ________.

2 $2+5+8+\cdots+299=$ ________.

3 $(7+9+11+\cdots+25)-(5+7+9+\cdots+23)=$ ________.

4 在 1～100 这 100 个自然数中，能被 3 整除的数的和是 ________.

5 $1-2-3+4+5-6-7+8+9-10-11+12+\cdots+1997-1998-1999+2000=$ ________.

6 现有 10 个盒子，用下面方法往盒中装小球儿：第 1 个盒装 1 个，第 2 个盒装 4 个，第 3 个盒装 7 个……照这样的装法，则将 10 个盒都装完，共需________个小球.

二、选择题

7 将下面两个式子的结果进行比较，得到的结论是(　　).

(1) $(2+4+6+\cdots+100)-(1+2+3+\cdots+50)$；

(2) $(1+3+5+\cdots+99)-(50+49+48+\cdots+2+1)$.

(A) (1)式比(2)式多 50　　(B) (2)式比(1)式多 50

(C) (1)式等于(2)式　　(D) 以上答案都不对

8 如果 1，a_2，a_3，a_4，25 组成等差数列，那么 a_3 是(　　).

(A) 11　　(B) 13

(C) 15　　(D) 17

9 有一本书共169页,小明第一天看了1页,以后每天都比前一天多看2页,则看完这本书需用(　　).

(A) 12天　　(B) 13天

(C) 14天　　(D) 29天

10 某班共买来66本课外书,把它们分别放在书架上,每次摆放都是下面一层比上面一层多放1本书,则至多要放的层数为(　　).

(A) 9　　(B) 10

(C) 11　　(D) 12

三、简答题

11 计算:$880-3-6-9-\cdots-57$.

12 (1) 所有两位偶数的和是多少?

(2) 所有除以3余2的两位数的和是多少?

13 已知数列5, 7, 11, 17, …,按照前几项的规律,写出该数列的第15项.

14 水坝的横截面是一个等腰梯形,最上面一层砌了21块砖,往下每层多砌1块砖,共砌了19层砖.问:截面上共砌了多少块砖?

15 时钟一点敲1下,两点敲2下,依次类推,十二点时敲12下,半点时敲1下.

(1) 从1点到5点共敲多少下?

(2) 一昼夜共敲多少下?

第 7 讲

有趣的数阵图

在前面已经向同学们介绍了一些有趣的填数游戏，如：填算式、数字谜等. 下面再向大家介绍一类奇妙的填数游戏——数阵图，就是把一些数按照一定的规则，填在某一特定图形的规定位置上，这种图形，我们称它为数阵图. 数阵图的种类繁多、绚丽多彩，这里我们将主要介绍两种数阵图，即封闭型数阵图和开放型数阵图.

解答这类问题时，常用到以下知识：

1. 等差数列的求和公式：

$$\text{总和} = (\text{首项} + \text{末项}) \times \text{项数} \div 2$$

2. 计算中的奇偶问题：

$$\text{奇数} \pm \text{奇数} = \text{偶数}$$
$$\text{偶数} \pm \text{偶数} = \text{偶数}$$
$$\text{奇数} \pm \text{偶数} = \text{奇数}$$

3. 10 以内数字有如下关系：

(1) $1+9=2+8=3+7=4+6$

(2) $1+8=2+7=3+6=4+5$

(3) $2+9=3+8=4+7=5+6$

在解答这类问题时，要善于确定所求的和与关键数字间的关系式，用试验的方法，找到相等的和与关键数字；要会对基本解中的数进行适当调整，得到其他的解. 从而培养自己的观察能力、思维的灵活性和严密性.

例 1 把 1，2，3，4，5，6 这六个数填在如图 7-1 的 6 个○中，使每条边上的三个数之和都等于 9.

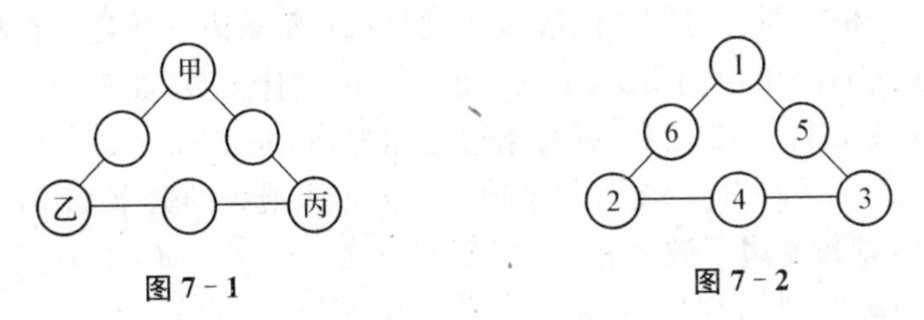

图 7-1　　　　图 7-2

分析与解　因为要求每条边上的三个数之和都等于 9，这样三条边总和是 $9\times3=27$. 而 $1+2+3+4+5+6=21$，与总和差为 $27-21=6$，从图 7-1 不难看出：计算三边总和时，甲、乙、丙三数重复累加了一次，即可知甲＋乙＋丙＝6，故在 1～6 中只能选 1，2，3 三数填入三顶点（甲、乙、丙）圆圈内，再将 4，5，6 按要求填入另外三个圆圈内，因而得出图 7-2 所示的基本解. 若再将图 7-2的基本解中的甲、乙、丙三个圆圈内的数字交换位置，又可得到 5 种不同填法，如图 7-3 所示.

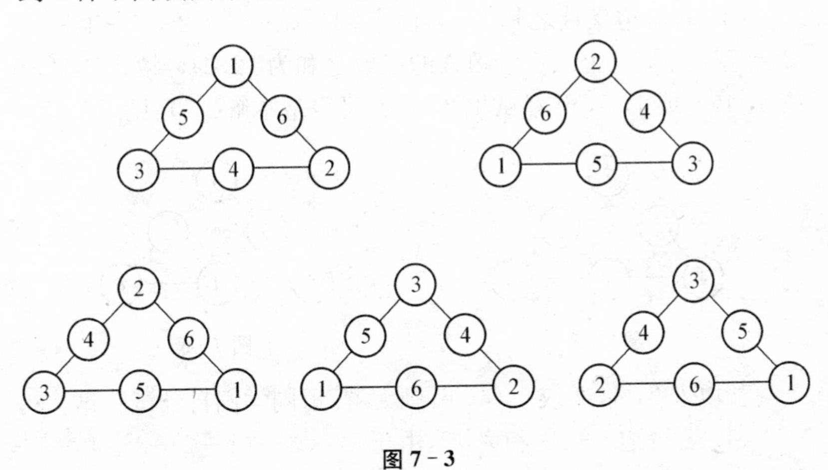

图 7-3

下面我们继续讨论例 1 问题的一般情况.

例2 将 1, 2, 3, 4, 5, 6 填在例 1 图 7-1 中○里,使每条边上的三个数之和相等,有几个基本解? 共有多少种填法?

分析 通过对例 1 的解析,我们想到:每条边三数之和在相等的前提下,和的大小取决于三个顶点○内填什么数,如三顶点○内填入最小 1, 2, 3 三数,则每条边之和为 $[(1+2+3+4+5+6)+(1+2+3)]\div3=9$;若三个顶点○内填入最大的数字 4, 5, 6 三个数,则每条边三数之和 $[(1+2+3+4+5+6)+(4+5+6)]\div3=12$. 因此可得出:每条边三数之和在 9~12 之间.

解 (1) 若每条边三数之和为 9,经分析可得出基本解(一)(见例 1 图 7-2).

(2) 若每条边三数之和为 10,由于 $10\times3-(1+2+3+4+5+6)=9$,可知三个顶点○填入的三数之和为 9,即可填入 1, 3, 5 或 2, 3, 4 或 1, 2, 6. 经试填 1, 3, 5 可得基本解(二)(见图 7-4).

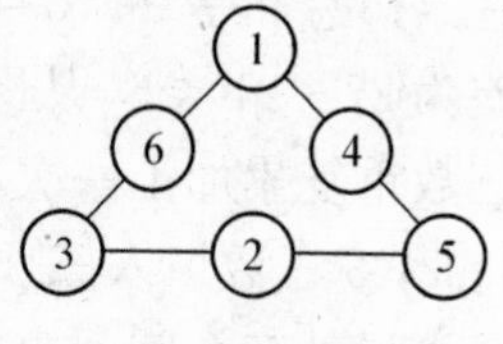

图 7-4

若填入 2, 3, 4 或 1, 2, 6 均无解. 请同学们自己试一试!

(3) 若每边三数之和为 11,由于 $11\times3-(1+2+3+4+5+6)=12$,可知三个顶点○填入的三数之和为 12,即可填入 2, 4, 6 或 3, 4, 5 或 1, 5, 6. 经试填 2, 4, 6 可得基本解(三)(见图7-5).

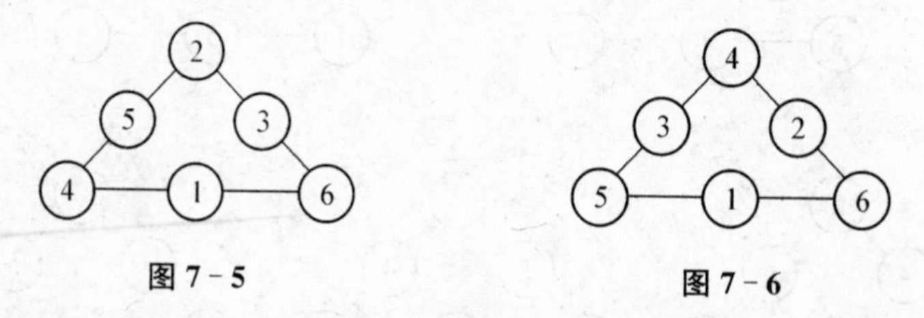

图 7-5　　图 7-6

若填入 3, 4, 5 或 1, 5, 6,则无解. 请同学们自己试一试!

(4) 若每边三数之和为 12,由于 $12\times3-(1+2+3+4+5+6)=15$,可知三个顶点○填入的三数之和为 15,即可填入 4, 5, 6. 经试填可得基本解(四)(见图 7-6).

再将 4 个基本解如例 1 中那样交换顶点○内所填数字的位置，又可分别得出 5 种填法.

因此，例 2 共有 4 个基本解，24 种填法.

随堂练习 1

(1) 将 1～4 这四个数分别填入图中□内，使竖列和横行□内数的和相等.

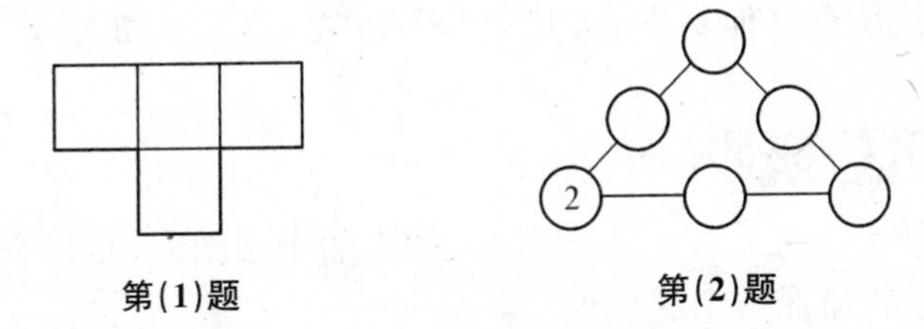

第(1)题　　第(2)题

(2) 把数字 1, 3, 4, 5, 6 分别填在图中三角形 3 条边上的 5 个○内，使每条边上 3 个○内数的和等于 9.

例 3　把 1～12 这十二个数，分别填在如图 7－7 中正方形四条边上的十二个○内，使每条边上四个○内数的和都等于 22，试求出一个基本解.

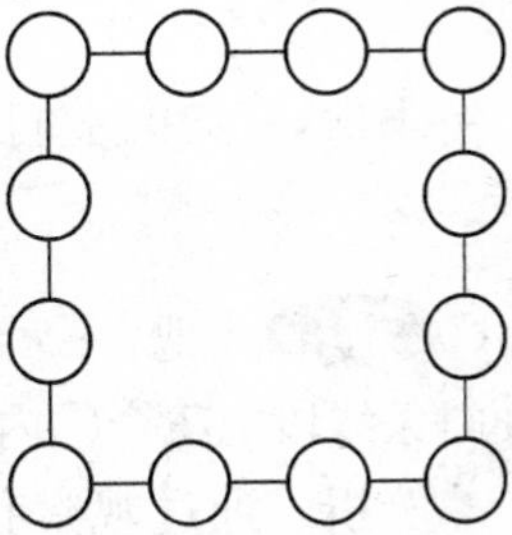

图 7－7

分析与解　此题类似于例 1，解答的关键是确定正方形 4 个顶点上的数.

因为正方形每条边上 4 个数的和都是 22，所以正方形 4 条边上的数相加的总和是 $22\times 4=88$.

由于
$$1+2+\cdots+11+12=78,$$
从而
$$88-78=10.$$

因此 4 个顶点上所填数的和应是 10，而从 1 到 12 中 4 个数相加等于 10 只有一种情况：$1+2+3+4$. 即四个顶点只能分别填 1, 2, 3, 4. 经试验可得出基本解，如图 7－8 是其中之一.

说明　像以上介绍的各条边相互连接的数阵图叫做封闭型数阵图. 对于封闭型数阵图,解题的关键是先确定顶点处的数字,然后再根据条件要求试验找出正确的解. 另外,数阵的解,多数都是不唯一的,如果题目没有特别要求,只要求出一个基本解即可.

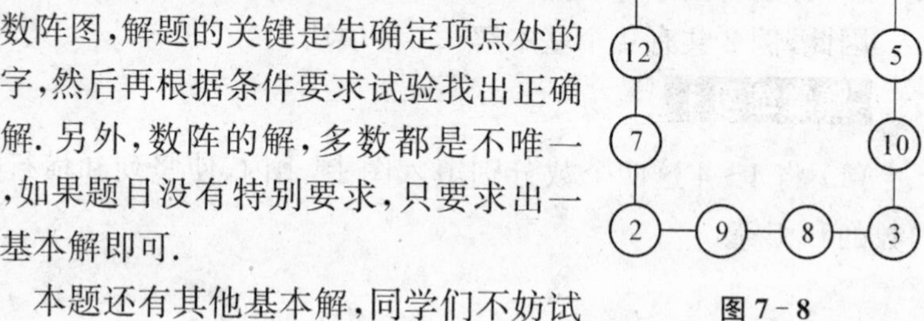

图 7－8

本题还有其他基本解,同学们不妨试一试.

随堂练习 2

将数字 1, 2, 3, 4, 5, 6 填入图中的小圆圈内,使每个大圆上 4 个数字的和都是 16.

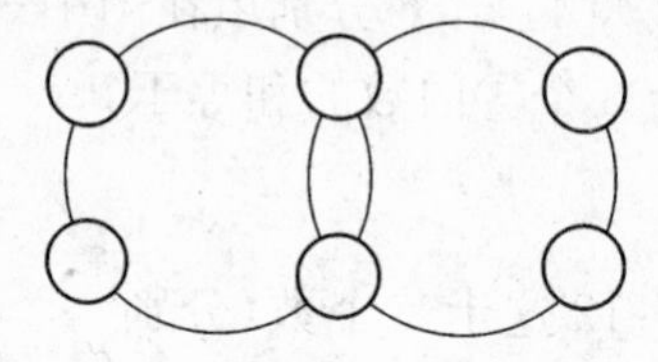

下面,将向同学们介绍开放型(或称辐射型)数阵图.

例 4　把 1～7 这七个数分别填入如图 7－9 中的各个○内,使每条线段上三个○内的数的和相等.

分析　通过观察我们会发现,解答本题的关键是确定中心○内的数,另外还要知道每条线段上三个数的和是几.

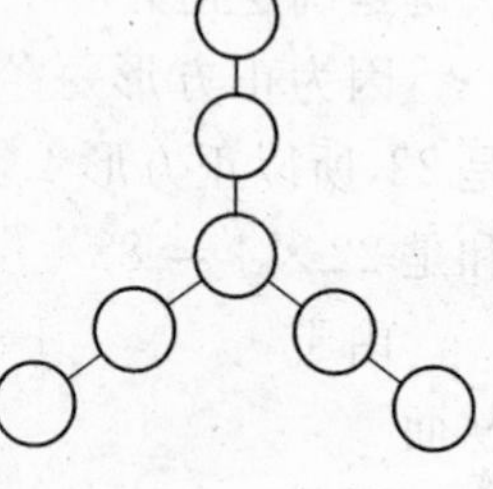

图 7－9

在计算每条线段的三个数的和时,由于中心○内的数被重复计算了三次,因此三条线段上共九个数的总和应等于 1～7 这七个数的和再加上中心○内数的 2 倍. 这个总和也是一条线段上三个数和的 3 倍. 所以用这个总和除以

3 就得到了一条线段上 3 个数的和. 因为

$$1+2+3+4+5+6+7=28,$$

这个数与中心○内数的 2 倍的和必须是 3 的倍数. 因此,中心○内数可取 1, 4 或 7.

解 (1) 如果中心○内数取 1,则有

$$28+2\times 1=30,$$
$$30\div 3=10.$$

即每条线段上的三个数的和是 10. 把 1 填入中心,把余下的六个数分为三组,每组两个数的和为 9,有

$$2+7=3+6=4+5=9,$$

这样就得到了一个基本解,如图 7－10 所示.

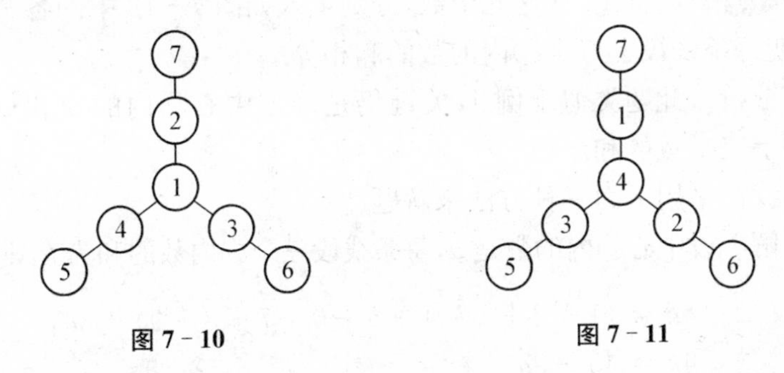

图 7－10　　**图 7－11**

(2) 如果中心○内数取 4,则有

$$28+2\times 4=36,$$
$$36\div 3=12.$$

即每条线段上的三个数的和是 12,类似(1)又可得到一个基本解,如图 7－11 所示.

(3) 如果中心○内的数取 7,则有

$$28+2\times 7=42,$$
$$42\div 3=14.$$

即每条线段上的三个数的和是14,类似(1)又可找到一个基本解,如图7-12所示.

所以,本题共有3个基本解.

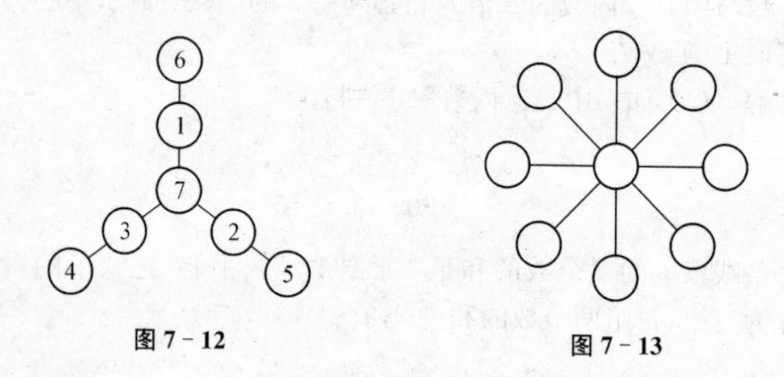

图7-12

图7-13

例5 将1～9这九个数,分别填入如图7-13中的各个○内,使每条线段上三个○内的数的和相等.

分析 此题类似于例4,关键仍是确定中心○内的数和每条线段上三个数的和.

我们采用下面一种方法来解题.

解 设中心○内的数是a,每条线段三个○内数的和为k,则有

$$4k=(1+2+3+4+5+6+7+8+9)+3a,$$
$$4k=45+3a$$
$$k=(45+3a)\div 4.$$

因为k是整数,所以$45+3a$必须能被4整除,其中$45\div 4=11\cdots\cdots 1$,因此$3a$除以4的余数必须是3,这样,在1～9中,$a$可取1, 5, 9.

(1) 当$a=1$时,$k=12$,经试验可得一基本解,如图7-14所示;

(2) 当$a=5$时,$k=15$,经试验又可得一基本解,如图7-15所示;

(3) 当 $a=9$ 时, $k=18$, 经试验又得一基本解,如图 7-16 所示.

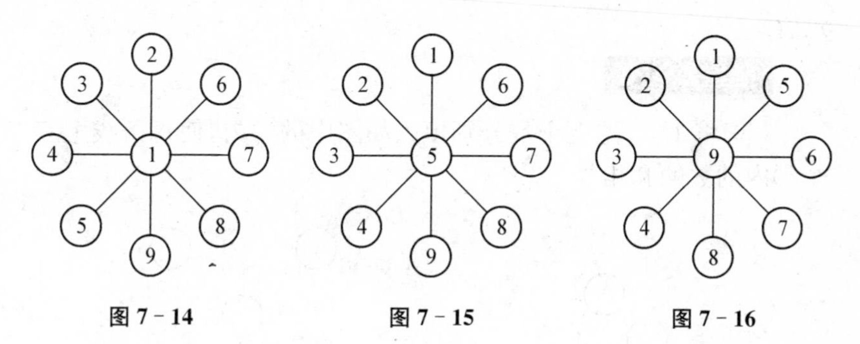

图 7-14　图 7-15　图 7-16

例 6 把 1～11 这十一个数分别填入如图 7-17 中的各个○内,使每条线段上三个○内的数的和都等于 22.

分析 此题的关键仍是确定中心○内的数是几.

由于每条线上的 3 个○内数的和都等于 22,而且中心○内的数被重复计算了 5 次,因此五条线段上共 15 个数的总和是 $22\times5=110$. 实际上 110 就是 1～11 这 11 个数的和再加上中心○内数的 4 倍.

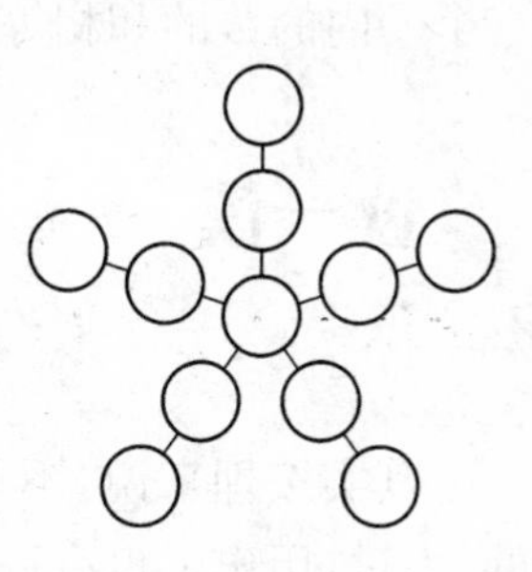
图 7-17

由于 $1+2+\cdots+11=66$,

而 $110-66=44$,

$44\div4=11$,

因此中心○内数应为 11,然后把剩下的 10 个数适当调配就可得到一个基本解.

解 这个题有一个基本解,如图 7-18 所示.

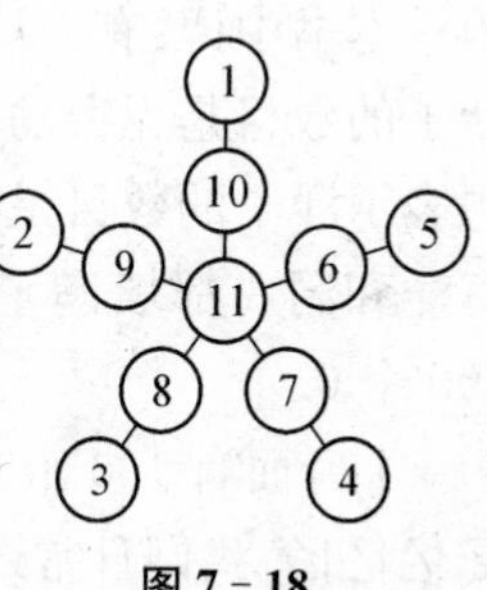

图 7-18

说明 以上介绍了开放型数阵图及其解法. 对于开放型数阵图,解题的关键是确定中心的数字.

同学们一定要记住,填数阵图时一定不能乱填乱试,而应该认真分析研究数阵图的内在规律,抓住解决问题的关键,按步骤求解.

随堂练习 3

(1) 将 1~5 这五个数分别填入如图中的○内,使每条线上三个○内的数的和相等.

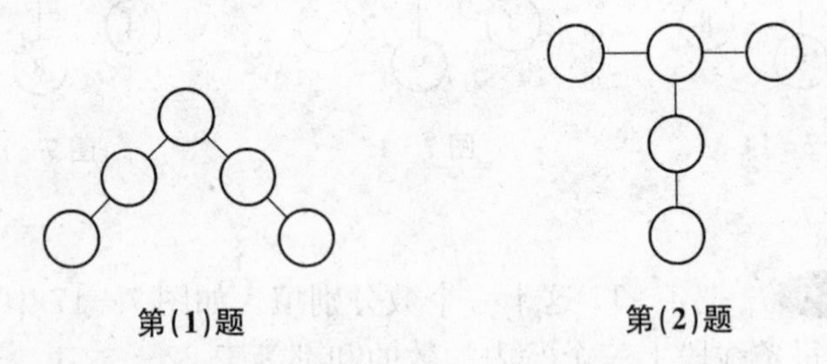

第(1)题　　第(2)题

(2) 将 6~10 这五个数分别填入如图中的○内,使每条线上三个○内的数的和相等.

读一读

最大的数有多大?

其实按理来说,不可能有一个最大的数,因为数是无穷无尽的. 不过,历史上也有许多数学家提出过“大数”的概念.

古希腊学者阿基米德是历史上最早提出“大数”的人. 他在他的一本书中说:有人认为,在全世界所有有人烟和无人迹的地方,沙子的数目是无穷的;也有人认为,沙子的数目不是无穷的,但是想表示沙子的数目是办不到的. 但是我的计算表明,如果把所有的海洋和洞穴都填满了沙子,这些沙子的总数不会超过 1 后面有 100 个 0.

1 后面有 100 个 0,如果读出来,就是一万亿亿亿亿亿亿亿亿亿亿亿亿. 我们日常遇到的大数,很少有超得过它的. 后来的数学家给这个大数起了个名字，叫“古戈”.

有没有比古戈更大的数呢？有！我们以后要讲到的“到底有多少兔子”中的兔子，繁殖到第 571 个月的时候，数字已经大于一个古戈了.

古戈在实际生活中是个非常大的数，可是在数学研究里，古戈又太小了. 比如，有的数学家发现了有个 7067 位的大质数，而古戈只有 101 位，比起这个大质数来，可以说是个小弟弟了. 而为了能表示更大的数，数学家又规定了“古戈布来克斯”，一个古戈布来克斯是多少呢？光是它的 0，就有一万亿亿亿亿亿亿亿亿亿亿亿亿个呢！

练　习　题

一、填空题

1 如图，将数字 1，2，3，4 分别填入图中的小圆圈内，使每条线段上 3 个数之和与每个圆圈上 3 个数之和都等于 12.

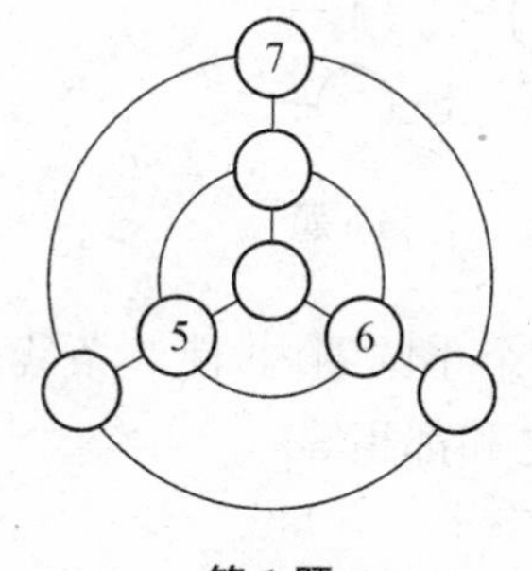

第 1 题

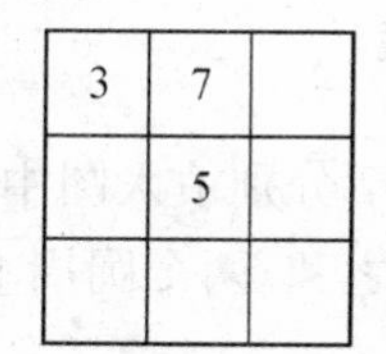

		8
	6	
4		

第 2 题

2 如图，只能用图中已有的 3 个数填满其余的空格，并要求每个数字必须再使用2次，而且每行、每列及每条对角线上的3个数之和都相等.

3 如图，将1～6分别填在图中3个圆的6个交点上，使每个圆上4个数之和相等，则这个相等的和为(　　).

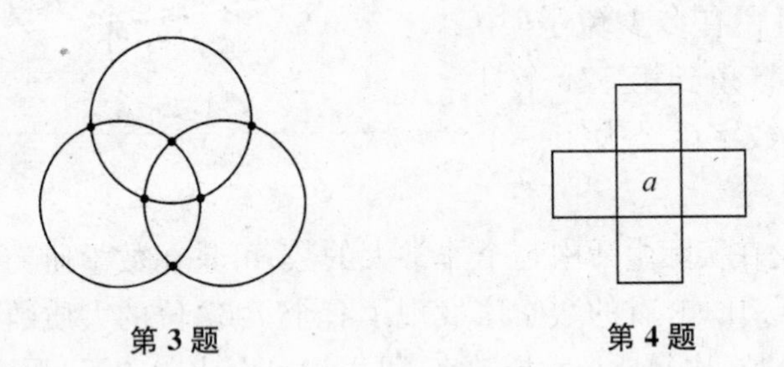

第3题　　**第4题**

4 如图，将3～7分别填入图中，使横行、竖列3个数之和都相等，那么a的值可以为(　　).

5 如图，将1～5分别填入图中半球的5个小圆圈内，使两个半圆上3个数之和、圆周上4个数之和都相等.

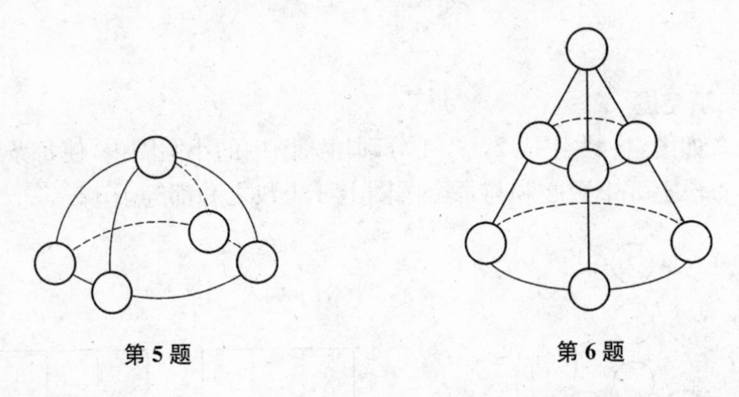

第5题　　**第6题**

6 如图，将1～7分别填入图中圆锥的7个小圆圈内，使3条线段上3个数之和、两个圆周上3个数之和都相等.

二、选择题

7 如图，将1～7分别填在图中的○内，使每条线段上3个数之和都相等，那么 a 的填法有（　　）.

(A) 2 种　　(B) 1 种　　(C) 3 种　　(D) 4 种

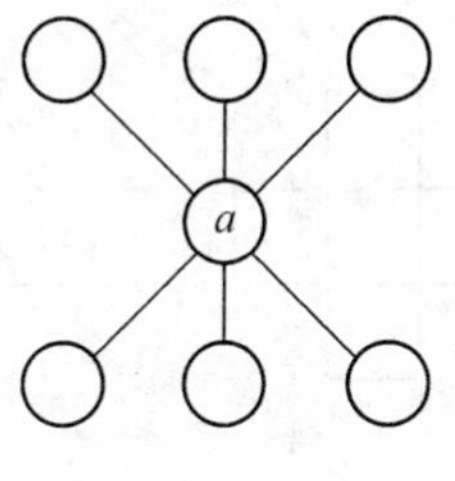

第 7 题

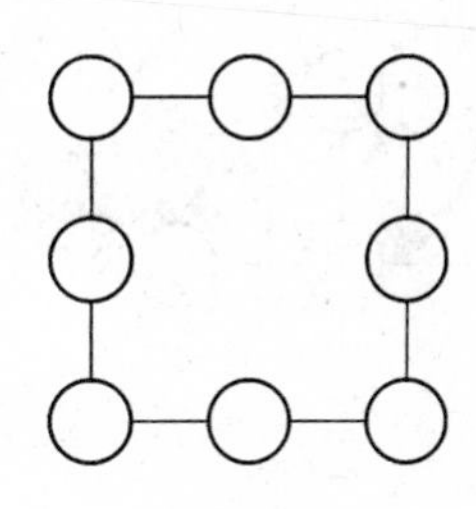

第 8 题

8 如图，将 1～8 分别填入图中的 8 个小圆圈里，使每条边上 3 个数之和都相等，则四个角上的 4 个数字之和是（　　）.

(A) 3 的倍数　　(B) 4 的倍数

(C) 5 的倍数　　(D) 7 的倍数

9 如图，将 2～9 分别填入图中的○内，使每一圆周和每一直线上的 4 个数之和都相等，其和为（　　）.

(A) 11　　(B) 21　　(C) 22　　(D) 25

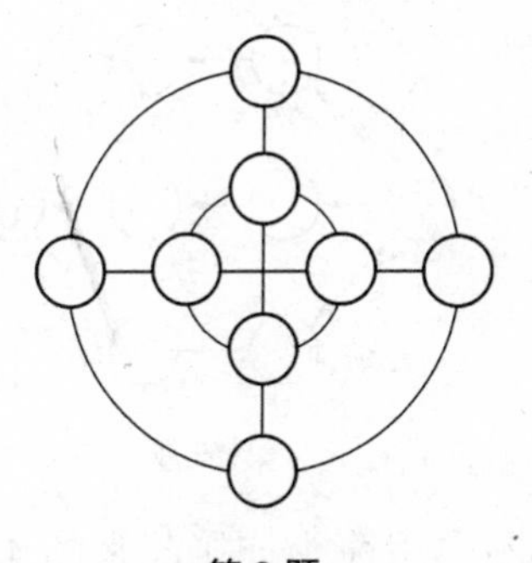

第 9 题

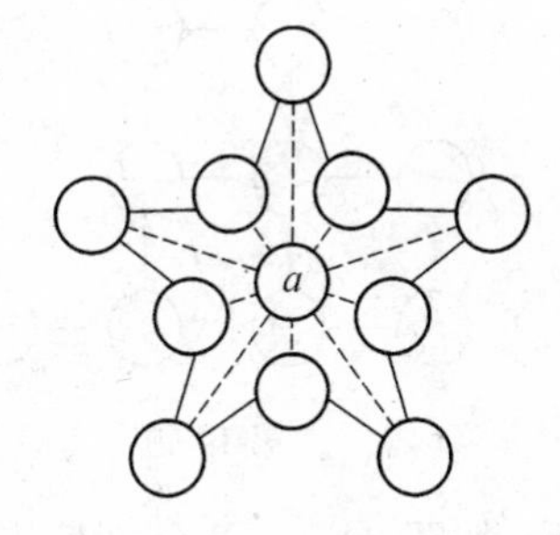

第 10 题

10 如图，将 1～11 分别填入图中的○内，使五条虚线上 3 个数之和都相等，那么 a 的填法有（　　）.

(A) 3 种　　(B) 2 种　　(C) 7 种　　(D) 8 种

三、简答题

11 如图，将 2～6 分别填入○内，使 2 条线上○内数之和相等.

第 11 题　　第 12 题

12 如图，将 1～8 分别填入图中的各个方格内，使每一横行、每一竖列相邻三个方格内的数之和都相等.

13 如图，已知图中每行、每列和主对角线上的三数之和都相等. 求 A、B、C、D、E.

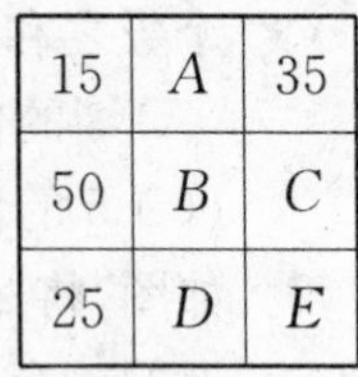

15	A	35
50	B	C
25	D	E

第 13 题

14 如图，将 1～10 分别填入图中各○内，使得三个正方形的四个顶点上的数之和都等于 21.

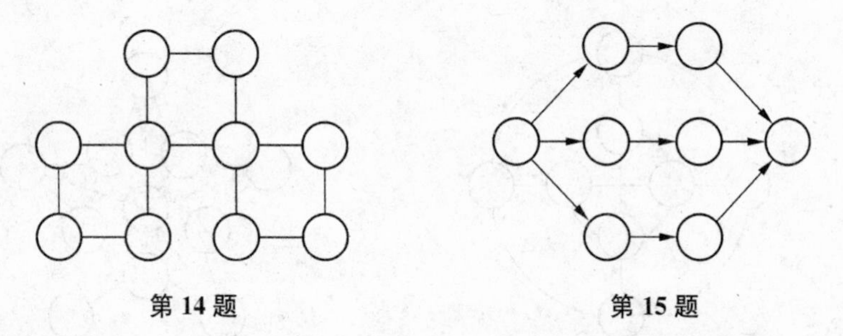

第 14 题　　第 15 题

15 如图，将 1～8 分别填入○内，使图中用箭头连接起来的 4 个数之和都等于 18.

第 8 讲

用假设法解应用题

“假设”是数学中思考问题的一种方法.有些应用题我们无论是从条件出发用综合法去解答,还是从问题出发用分析法去解答,都很难求出答案.但是如果我们合理地进行“假设”,往往能使问题很快得到解决.

所谓“假设法”就是通过假设,再依照已知条件进行推算,根据数量上出现的矛盾,进行比较,作适当调整,从而找到正确答案的方法.我国古代趣题“鸡兔同笼”就是运用“假设法”解决问题的一个范例.

1. “鸡兔同笼”问题是:已知鸡、兔共有多少只和脚的总数,求鸡、兔各有多少只.

2. 运用“假设法”解题的思路是:

先假设笼子里装的全是鸡,就可以算出在假设下共有几只脚,把这样得到的脚数与题中给出的脚数相比较,看看差多少,每差 2 只脚就说明有 1 只兔,将所差的脚数除以 2,就可以算出共有多少只兔.

3. 解决“鸡兔同笼”问题的基本关系式是:

兔数 =(实际脚数 − 每只鸡脚数 × 鸡兔总数)÷(每只兔子脚数 − 每只鸡脚数)

例 1 笼子里有鸡和兔共 30 只,总共有 70 条腿,问鸡和兔各有几只?

分析 如果假设全是鸡,则 30 只鸡的腿数应为 $2 \times 30 =$

60(条),比题目中的条件少了 $70-60=10$(条),因为每只鸡比兔少 2 条腿,所以,少了 10 条腿就说明有 $10\div 2=5$(只) 兔. 也可以假设全是兔,首先可推算出鸡的只数.

解法一 假设笼中全是鸡,则兔的只数为

$$(70-2\times 30)\div(4-2)=5(\text{只}),$$

鸡的只数为

$$30-5=25(\text{只}).$$

解法二 假设笼中全是兔,则鸡的只数为

$$(4\times 30-70)\div(4-2)=25(\text{只}),$$

兔的只数为

$$30-25=5(\text{只}).$$

答 这个笼子里装有 25 只鸡,5 只兔.

例 2 四(2)班学生共 52 人,到公园去划船共租用 11 条船,每条大船坐 6 人,每条小船坐 4 人,刚好坐满. 求租用的大船、小船各多少只?

分析 假设租用的全部是大船,因为每条大船坐 6 人,那么 11 条船共坐 66 人,与班级原有人数进行比较,多出 14 人,变化的原因是原来每条小船只坐 4 人,现在假设坐了 6 人,每条小船多坐了 2 人,很显然,小船数就是 $14\div 2=7$(条),最后再求出大船数.

解 小船数为

$$(6\times 11-52)\div(6-4)=14\div 2=7(\text{条}),$$

大船数为

$$11-7=4(\text{条}).$$

答 有大船 4 条,小船 7 条.

想一想 此题如果按照“假设 11 条都是小船”的思路，应怎样解答？

随堂练习 1

(1) 鸡和兔共 100 只，共有脚 280 只，鸡、兔各有多少只？

(2) 10 元和 5 元一张的人民币共有 40 张，共计 325 元，两种人民币各几张？

例 3 一辆卡车运矿石，晴天每天可运 20 次，雨天每天只能运 12 次，它一连运了 112 次，平均每天运 14 次. 问：这几天当中有几个晴天？

分析 由已知可得，这辆卡车一共运了 $112 \div 14 = 8$(天)矿石. 假设这 8 天都是晴天，一共应运矿石 $20 \times 8 = 160$(次)，比实际多 $160 - 112 = 48$(次)，原因是晴天比雨天每天多运 $20 - 12 = 8$(次)，因此雨天的天数应为 $48 \div 8 = 6$(天)，晴天的天数为 2 天.

解 卡车运矿石的总天数为

$$112 \div 14 = 8(\text{天}),$$

雨天的天数为

$$(20 \times 8 - 112) \div (20 - 12) = 48 \div 8 = 6(\text{天}),$$

晴天的天数为

$$8 - 6 = 2(\text{天}).$$

答 这几天当中只有 2 天是晴天.

例 4 仓库所存的苹果是香蕉的 3 倍. 春节前夕，平均每天批发出 250 千克香蕉、600 千克苹果，几天后香蕉全部批发完，苹果还剩 900 千克？这个仓库原有苹果、香蕉各多少千克？

分析 因为苹果是香蕉的 3 倍，假设每天批发出的苹果不是

600 千克，而是 $250\times 3=750$(千克)，那么苹果将和香蕉同时批发完，也就是说如果每天多批发苹果 $750-600=150$(千克)，就将剩余的 900 千克苹果也同时批发完. 这样就可求出批发的天数，进而求出苹果和香蕉的数量.

解 批发天数为

$$900\div(250\times 3-600)=900\div 150=6(\text{天}),$$

原有香蕉为

$$250\times 6=1500(\text{千克}),$$

原有苹果为

$$1500\times 3=4500(\text{千克}).$$

答 仓库原有苹果 4500 千克，香蕉 1500 千克.

随堂练习 2

(1) 一辆卡车运矿石，晴天每天可运 16 次，雨天每天只能运 11 次，它一连运了 17 天，共运了 222 次. 问：这些天中有几天下雨？

(2) 某食堂买来的面粉是米的 5 倍，如果每天吃 30 千克米、75 千克面粉，几天后米全部吃完，而面粉还剩下 225 千克. 这个食堂买来的米和面粉各多少千克？

例 5 三、四、五年级同学共植树 108 棵，三年级比四年级少植 18 棵，五年级比三年级多植 30 棵，三个年级同学各植树多少棵？

分析 根据题意，把条件和问题反映在如图 8－1 中，借助图形进行分析.

假设四、五年级植树棵数与三年级植树棵数同样多，根据条件找出总棵数的变化，先求出三年级植树的棵数，从而求出四、五年级各植树的棵数.

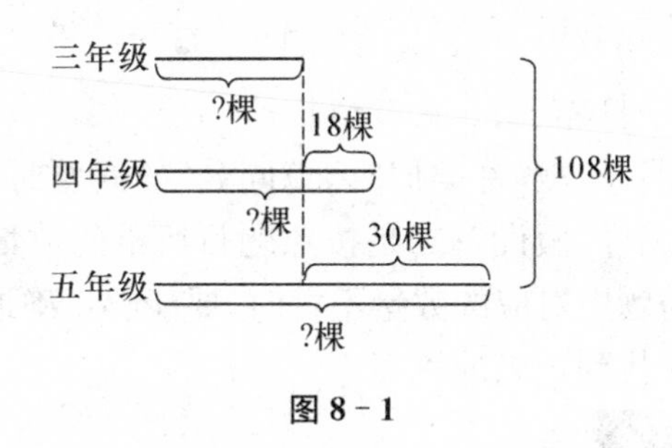

图 8-1

解 三年级植树棵数为

$$[108-(18+30)]\div 3=20(\text{棵}),$$

四年级植树棵数为

$$20+18=38(\text{棵}),$$

五年级植树棵数为

$$20+30=50(\text{棵}).$$

答 三年级同学植树 20 棵，四年级植树 38 棵，五年级植树 50 棵.

例 6 搬运 1000 只玻璃瓶，规定：安全运到 1 只可得搬运费 3 角；但打碎 1 只，不仅不给搬运费，还要赔 5 角. 如果运完后共得运费 260 元，那么，搬运中打碎了几只玻璃瓶？

分析 假设全部安全运到了，所得运费将比实得运费高，为什么实得运费少呢？因为打碎一只不仅得不到 3 角，反而赔 5 角，相差 8 角. 找到解题的突破口，此题就迎刃而解了.

解 因为 260 元 = 2600 角，所以，

实际少得的钱数为

$$3\times 1000-2600=400(\text{角}),$$

搬运中打碎的玻璃瓶只数为

$$400 \div (3+5) = 50(\text{只}).$$

答 搬运中打碎了 50 只玻璃瓶.

说明 用假设法解答类似“鸡兔同笼”的问题时,一是根据题意正确地判断怎样“假设”;二是按照题目所给的数量关系进行推算,所得结果与题中对应的数量不符时,要能够正确地运用别的量加以调整,从而找到正确的答案.

随堂练习 3

(1) 现在要用三辆卡车运 910 吨水泥到某建筑工地去,已知第一辆比第二辆多运 30 吨,第三辆比第二辆少运 20 吨.问:三辆卡车各运水泥多少吨?

(2) 一辆汽车装运玻璃仪器 360 个,每个运费 5 元,若损坏一个仪器不但不给运费,还要赔 50 元,结果司机只收到运费 1250 元.问:损坏了几个仪器?

读一读

他是疯子还是大师?

如果你不会背 1, 2, 3, … 你该怎样数数?

在我们的祖先认识数字以前,原始人采用把珠子和铜币逐个相比的方法来判断珠子和铜币哪一个多.这个朴素的“一一对应”原理仍是我们今天数数的方法.所不同的是我们不必再把实物与实物进行比较,而是把实物与自然数的整体$\{1, 2, \cdots, n\}$进行比较.比如,当我们数 5 个珠子时,实际上是把它们分别与 1, 2, 3, 4, 5 一一对应而数出来的.

这一思想,被数学家康托成功地用来比较无穷集合的大小:如果两个集合之间存在一一对应,则这两个集合的元素就一样多.

康托的有关无穷的概念,震撼了知识界.

由于研究无穷时往往推出一些合乎逻辑的但又荒谬的结果

（称为“悖论”），许多大数学家唯恐陷进去而采取退避三舍的态度．不到 30 岁的康托向神秘的无穷宣战．他靠着辛勤的汗水，成功地证明了一条直线上的点能够和一个平面上的点一一对应，也能和空间中的点一一对应．这样看起来，1 厘米长的线段内的点与太平洋面上的点，以及整个地球内部的点都“一样多”．

天才总是不被世人所理解．康托的工作与传统的数学观念发生了尖锐冲突，遭到一些人的反对、攻击甚至谩骂．有人说，康托的集合理论是一种“疾病”，康托的概念是“雾中之雾”，甚至说康托是“疯子”．

康托

来自数学权威们的巨大精神压力终于摧垮了康托，使他心力交瘁，患了精神分裂症，被送进精神病医院．他在集合论方面许多非常出色的成果，都是在精神病发作的间歇时获得的．

真金不怕火炼，康托的思想终于大放光彩．1897 年举行的第一次国际数学家会议上，他的成就得到承认，伟大的哲学家、数学家罗素称赞康托的工作“可能是这个时代所能夸耀的最巨大的工作”．

练　习　题

一、填空题

1　鸡和兔放在一只笼子里，共有 29 个头和 92 只脚，那么笼中有兔________只．

2　15 元钱买 50 分邮票和 20 分邮票共 63 张，那么 20 分邮票与 50 分邮票相差________张．

3 人民路小学的教师和学生共 100 人去栽树,教师每人栽 3 棵,学生平均每 3 个人栽 1 棵,一共栽树 100 棵.那么,有______名学生参加栽树.

4 张三买了两种戏票一共 30 张,付出 200 元,找回 5 元.甲种票每张 7 元,乙种票每张 6 元.张三买甲种票______张.

5 杨帆这学期的 21 次测验成绩全是 4 分或 5 分(老师采用 5 分评分制),总共加起来是 100 分.他得了______次 5 分.

6 给货主运 2000 箱玻璃,合同规定:完好运到一箱给运费 5 元,损坏一箱不给运费,还要赔货主 40 元.将这批玻璃运到后收到运货款 9190 元,损坏了______箱.

二、选择题

7 20 分和 50 分的邮票共 36 枚,共值 9 元 9 角,那么两种邮票分别有(　　).

(A) 28 枚、8 枚　　(B) 29 枚、7 枚

(C) 27 枚、9 枚　　(D) 26 枚、10 枚

8 有一堆土方共 400 方,有大、小两辆汽车,大车一次拉 7 方,小车一次拉 4 方,运完这堆土共拉了 70 车.那么大车拉了(　　).

(A) 30 次　　(B) 35 次

(C) 45 次　　(D) 40 次

9 某电视机厂每天生产电视机 500 台,在质量评比中,每生产一台合格电视机记 5 分,每生产一台不合格电视机扣 18 分.如果四天得了 9931 分.那么这四天生产了合格电视机(　　).

(A) 1990 台　　(B) 1800 台

(C) 1980 台　　(D) 1997 台

10 松鼠妈妈采松子,晴天每天可采 20 个,雨天每天可采 12 个,它一连几天采了 112 个松子,平均每天采 14 个,那么这几天

当中共有雨天(　　).

(A) 6 天　　(B) 7 天

(C) 8 天　　(D) 9 天

三、简答题

11 有大、小拖拉机共 30 台，今天一共耕地 112 公顷，大拖拉机每天耕地 5 公顷，小拖拉机每天耕地 3 公顷. 问:大、小拖拉机各有几台?

12 现有大、小塑料桶共 50 个，每个大桶可装果汁 4 千克，每个小桶可装果汁 2 千克，大桶和小桶共装果汁 120 千克. 问:大、小塑料桶各有多少个?

13 某运动员进行射击考核，共打 20 发子弹. 规定每中一发记 20 分，脱靶一发扣 12 分，最后这名运动员共得 240 分. 问:这名运动员共打中了几发?

14 王燕和爸爸、妈妈三个人年龄之和为 82 岁，已知爸爸比妈妈大 4 岁，妈妈比王燕大 24 岁. 问:三个人的年龄分别是多少?

15 某校在组织篮、排球联赛之前一次拿出 720 元人民币，准备购置一些比赛用球. 已知一个篮球比一个排球要贵 20 元，6 个篮球和 8 个排球的价格相等. 请你算一算，如果用这些钱都买篮球能买多少个? 如果都买排球能买多少个?

第9讲

用对应法解应用题

“对应”是解决数学问题时常用的一种方法.有很多应用题,给定的量所对应的数量关系是在变化的.为了使变化的数量看得更清楚,可以把已知条件按照它们之间的对应关系排列出来,进行观察、比较和分析,从而找到解题的关键,这种解题的思维方法叫对应法.

例1 某校新收一批住校生,学校启用15间宿舍还有34人没住处,启用21间宿舍后学生不但都住进去了,有一间宿舍还能再住进2人.这批学生共有多少人?

分析 为了更清楚地看懂题意,我们把题目中给出的两组对应关系排列在一起:

用15间宿舍 —— 还有34人没住处,
用21间宿舍 —— 还能再住进2人.

要想求这批学生共有多少人,应先求每间宿舍能住多少人.要抓住21间宿舍和15间宿舍的差与多少人相对应.假设学生再多2人,那么启用15间后会有36人没住处,启用21间后正好都住满,所以 $21-15=6$ (间)宿舍与 $34+2=36$ (人)相对应.

解 每间宿舍住的人数为

$$(34+2)\div(21-15)=6(\text{人}),$$

学生的总人数为

$$6\times 15+34=124(\text{人})$$

或 $$6\times21-2=124(\text{人}).$$

答 这批学生共有 124 人.

例 2 为了测量一口井的深度,同学们想用长绳吊一重物的方法,将绳子 3 折时,绳子比井深还长出 6 米,当他们将绳子 4 折时,则绳子比井深长出 2 米,你能算出井深与绳子的长度吗?

分析 在题目的条件中,"将绳子 3 折时,绳子比井深还长出 6 米",实际上是指绳子的长度比井深的 3 倍还多 $6\times3=18$(米). 而"当他们将绳子 4 折时,则绳子比井深长出 2 米",指的是绳子的长度比井深的 4 倍还多 $2\times4=8$(米). 排列出题设中给出的条件:

绳子 3 折 —— 井深的 3 倍 —— 多出 $6\times3=18$(米);
绳子 4 折 —— 井深的 4 倍 —— 多出 $2\times4=8$(米).

这样,就可以求出井深与绳长.

解 井深:$(6\times3-2\times4)\div(4-3)=10$(米);

绳长:$10\times3+6\times3=48$(米).

答 井深 10 米,绳长 48 米.

随堂练习 1

(1) 幼儿园大班的老师拿出一包糖分给小朋友,算了算,如果每人分 4 块,要多出 48 块糖;如果每人分 6 块,则又少 8 块糖. 请你算一算这包糖有多少块? 这个班有多少个小朋友?

(2) 一根长绳截出同样长短的绳子 21 根后,余 41 米,如果截出 34 根,则余 2 米,这根长绳长多少米?

例 3 吴老师从家到学校上班,出发时他看看表,发现如果步行,每分钟走 80 米,他将迟到 5 分钟;如果骑自行车,每分钟行

200 米,他可以提前 7 分钟到校.吴老师出发时离上班时间还有多少分钟?

分析 题目中给出了两个对应的数量关系:

每分钟行 80 米 —— 迟到 5 分钟,
每分钟行 200 米 —— 提前 7 分钟.

表示从出发到上班这段时间内有以下对应关系:

每分钟行 80 米 —— 比家到学校的路程少走了 $80\times5=400$(米),
每分钟行 200 米 —— 比家到学校的路程多走了

$$200\times7=1400(\text{米}).$$

再根据对应关系求出问题答案.

解 从出发到上班这段时间里,骑自行车比步行多行的路程为

$$80\times5+200\times7=1800(\text{米}),$$

出发时离上班的时间还相差

$$1800\div(200-80)=15(\text{分}).$$

答 吴老师出发时离上班时间有 15 分钟.

说明 排列条件显示出对应关系,有利于增强我们分析思考的感性认识.在排列条件时应注意转化题目中某些条件,使排出的条件能反映出对应数量的变化,以便寻找解题的突破口.

例 4 王老师到体育用品商店为学校买球,计算了一下,要买 5 个足球和 3 个篮球需要付 244 元;而买 2 个足球和 3 个篮球只需付 139 元.请你算算,足球和篮球每个各多少元?

分析 为了便于观察分析,我们按数量之间的对应关系,把条件排列出来:

5 个足球,3 个篮球 —— 共 244 元, ①

2 个足球,3 个篮球 —— 共 139 元. ②

比较对应排列的条件,就能清楚地看出,①与②中的篮球数量相同,所以①比②所付的钱多 105 元,是由于足球数多出 3 个,也就是 3 个足球共需 105 元,这样就可以求出每个足球多少元,并求出每个篮球多少元.

解 足球价格为

$$(244-139)\div(5-2)=105\div3=35(\text{元}),$$

篮球价格为

$$(139-35\times2)\div3=69\div3=23(\text{元}).$$

答 每个足球 35 元,每个篮球 23 元.

想一想 如果①式条件改为"买 5 个足球和 4 个篮球共需付 267 元",②式条件不变,这题又该如何解答?

分析 排列条件:

5 个足球,4 个篮球 —— 共 267 元, ①

2 个足球,3 个篮球 —— 共 139 元. ②

根据例 4 的解题思路,如果两次购买的足球数或篮球数相同问题就好解决了.那么,在保证基本数量关系不变的情况下,怎样使足球数或篮球数转化成相同呢?可以采用把每组足球数、篮球数、钱数都同时扩大相同倍数的方法.

解法一 把①式中的足球数、篮球数、钱数都扩大 2 倍;把②式中的足球数、篮球数、钱数都扩大 5 倍,有

5×2 个足球,4×2 个篮球 —— 共 267×2 元,

2×5 个足球,3×5 个篮球 —— 共 139×5 元,

即

10 个足球,8 个篮球 —— 共 534 元,

10 个足球,15 个篮球 —— 共 695 元.

这样，足球数已转化为相同的了.于是，我们可解得篮球价格，进而求出足球价格.

篮球价格为

$$\begin{aligned}&(139\times5-267\times2)\div(3\times5-4\times2)\\=&161\div7\\=&23(元),\end{aligned}$$

足球价格为

$$(139-23\times3)\div2=70\div2=35(元).$$

解法二 能不能使篮球数相同呢？请同学们按照上述方法自己完成解答过程.

解法三 观察①和②，发现此题两次的足球、篮球的总个数都是7个，可以先求出7个足球和7个篮球的总钱数，再求出1个足球和1个篮球共需钱数，最后分别求出它们的价格.

由于 $(267+139)\div7=406\div7=58(元)$,

重新排列条件：

2个足球，2个篮球 —— 共 $58\times2=116(元)$,

2个足球，3个篮球 —— 共139元.

篮球价格为

$$139-58\times2=23(元),$$

足球价格为

$$58-23=35(元).$$

答 每个足球35元，每个篮球23元.

随堂练习2

(1) 参加团体操的同学排队，如果每行站9人，则多37人，而每行站12人，则少20人.请问：团体操要站几行？共有多少人参加?

(2) 小孙买苹果 3 千克,香蕉 2 千克,共付款 12 元;小刘买同样价格的苹果 3 千克,香蕉 5 千克,共付款 21 元. 买 1 千克苹果和 1 千克香蕉各付多少元钱?

例 5 有白、红、黑三种颜色的球,白球和红球共 15 个,红球和黑球共 18 个,黑球和白球共 9 个. 问:三种球各多少个?

分析 将所给条件排列出来:

$$白球数+红球数=15个, \quad ①$$
$$红球数+黑球数=18个, \quad ②$$
$$黑球数+白球数=9个. \quad ③$$

观察排列出的条件,若将 ①+②+③,可得出"白球数+红球数+黑球数"的两倍量. 从而求出"白球数+红球数+黑球数"的个数,再对照①、②、③可分别求出白、红、黑球的个数.

解 "白球数+红球数+黑球数"为

$$(15+18+9)\div 2=42\div 2=21(个),$$

黑球数为 $$21-15=6(个),$$

白球数为 $$21-18=3(个),$$

红球数为 $$21-9=12(个).$$

答 白球有 3 个,红球有 12 个,黑球有 6 个.

说明 本题站在整体的角度思考问题,显得十分简洁.

例 6 王强的爸爸用 200 元买了一件外衣、一顶帽子和一双鞋,只记得外衣的价钱比帽子贵 90 元,外衣加帽子的价钱比鞋贵 120 元. 你能帮王强爸爸算出每一件东西的价钱吗?

分析 把条件按数量关系排列出来:

$$外衣价+帽价+鞋价=200元, \quad ①$$

$$外衣价-帽价=90元, \quad ②$$

$$外衣价+帽价-鞋价=120元. \quad ③$$

观察排列出的条件，可以从①和③看出，2 倍的鞋价是 $200-120=80$(元)，得出鞋价是 40 元. ①式变成：外衣价+帽价=160 元，再与②式对照，不难发现，此题转换成简单的和差问题了.

解 鞋的价格为

$$(200-120)\div 2=80\div 2=40(元),$$

“外衣价+帽价”为

$$200-40=160(元),$$

外衣的价格为

$$(160+90)\div 2=250\div 2=125(元),$$

帽的价格为

$$160-125=35(元).$$

答 鞋价是 40 元，帽价是 35 元，外衣价是 125 元.

随堂练习 3

(1) 有红、黄、蓝三种颜色的花，红花、黄花合在一起共 15 朵，黄花、蓝花合在一起共 18 朵，蓝花、红花合在一起共 9 朵. 问：三种花各多少朵？

(2) 一双鞋和一顶帽子共价 70 元，而两双鞋与三顶帽子的价相等. 求一双鞋与一顶帽子价格各是多少元？

读一读

多才多艺的祖冲之

祖冲之是一千五百多年前中国的一位数学家，他出生在一个几代人都对天文、历法有研究的家庭，所以，受家庭的熏陶，祖冲之从小就对天文学、机械制造和数学都发生了浓厚的兴趣. 祖冲之小时候并不很聪明，但是他学习非常刻苦，认真研读各种科学著作，并深入探寻科学道理，并敢于怀疑前人，提出自己的见解.

祖冲之在历史上最有名的，是他对圆周率的研究. 圆周率，就是圆的周长和直径的比. 早在 3500 年前，古代巴比伦人就已经算出圆周率的值是 3；而在两千多年前我国的数学书里，也把圆周率定为 3. 三国时候的数学家刘徽，用他自己发现的方法，把圆周率算到了小数点后两位，就是 3.14. 而祖冲之觉得刘徽的算法很好，就继续用这种算法研究，推算出圆周率的值在 3.141 592 6 和3.141 592 7之间，达到了 8 位有效数字. 他还用分数的方法表达出圆周率，即 355/113. 这个结果是当时世界上最为精确的圆周率数字. 直到一千多年后，外国数学家才求出了更精确的圆周率数值.

在其他的领域，祖冲之也取得了很大的成就. 天文学方面，他曾经连续十年，在每天正午的时候，记录铜表上的日影，根据观察结果，制成了当时最科学的历法《太阳历》，其中的测算结果，和现代天文学的测算结果相比只差了 50 秒. 机械制造方面，他制造过一种新型指南车，方向始终正确；他还制造过“千里船”，改革了当时计时用的“漏刻”和运输车辆等等. 他还精通音乐，并写过小说，是历史上少有的博学的人物.

祖冲之在世界上也非常有影响. 在月球上，有一座环形山，就是以祖冲之的名字命名的，叫做“祖冲之山”. 他是我们国家的骄傲.

练 习 题

一、填空题

1 小芳去买圆珠笔，身上带的钱如果买 5 支余 3 元，如果买 9 支余 2 角，每支圆珠笔价格为________角.

2 买 5 个排球和 3 个篮球需付 100 元，而买 2 个排球和 3 个篮球只需付 67 元，则排球和篮球的单价分别是________元和________元.

3 小明在一座楼顶的平台上用长绳吊一重物来测量楼高，当他将绳子 2 折时，绳比楼高要长出 10 米；当他将绳子 4 折时，则绳比楼高长出 1 米. 楼高________米，绳长________米.

4 某车间有 3 个生产班组，第一组有 5 人，共生产零件 167 个；第二组比第一组多 2 人，共生产零件 206 个；第三组和第二组工人一样多，生产的零件却比第二组多 10 个. 这个车间平均每个工人生产零件________个.

5 幼儿园为小朋友买了桃，分配时，如果每个小朋友分 5 个，还剩 32 个；如果其中 10 个小朋友分 4 个，其余的小朋友分 8 个，就恰好分完. 则幼儿园有小朋友________人，共买了________个桃.

二、选择题

6 小王买 2 支毛笔和 3 支钢笔，用去 74 元；小李买同样的毛笔 4 支和钢笔 2 支，用去 68 元. 求每支钢笔售价多少元？下面列式正确的是(　　).

(A) $(74\times2-68)\div(3\times2-2)$

(B) $(74\times3-68)\div(2\times2-2)$

(C) $(74\times2+68)\div(3\times2-2)$

(D) $(74\times3+68)\div(2\times2-2)$

7 3套茶具的价格相当于6个水瓶的价格，买1套茶具与2个水瓶要付58元. 问：1套茶具是多少元？下面列式正确的是(　　).

(A) $58\div(6\div3+2)$

(B) $58\div[1+2\times(6\div3)]$

(C) $58\div[(1+2)\times2]$

(D) $58\div[1+2\div(6\div3)]$

三、简答题

8 上体育课时，同学们排队，如果每行站10人则多22人，如果每行12人则少24人. 请你算一算，同学们排队要站几行？上课的同学有多少人？

9 一块地，如果用同样的拖拉机耕，4台耕4小时后，有8公顷没耕；3台耕6小时后，有4公顷没耕. 这块地共有多少公顷？

10 班上召开联欢会，共买来三种水果，梨和苹果共30千克，苹果和橘子共50千克，梨和橘子共40千克. 请你算算苹果、梨、橘子各多少千克？

11 买2把椅子和一张桌子要付100元，买8把椅子比买2张桌子要多付100元，求椅子和桌子的单价各是多少？

第 10 讲

用字母表示数

用字母表示数，同学们并不陌生，大家学过的运算规律、运算性质、几何图形的计算公式、常用的数量关系式等都可以用字母简明、准确地表示出来. 既然字母表示的是数，所以它可以像数一样进行运算. 这就为进一步研究、解决问题带来了很大的方便.

用字母表示数可以简明地表达问题中的数量关系.

例如："一只青蛙一张嘴，两只眼睛四条腿."

"两只青蛙两张嘴，四只眼睛八条腿."

……

这首儿歌反映了青蛙的只数和青蛙的嘴的数目、眼睛的数目以及腿的数目之间的数量关系，即：青蛙的嘴的数目等于青蛙数，眼睛的数目等于青蛙数目的 2 倍，腿的数目等于青蛙数目的 4 倍.

用字母表示数以后，上述关系就可简捷地表示为：

"n 只青蛙有 n 张嘴，$2n$ 只眼睛，$4n$ 条腿."

总之，用字母表示数可以给我们研究问题带来很大的方便. 用字母表示数是代数的一个重要特点，是数学发展史上的一大进步.

在学习用字母表示数时，应注意以下四点：

1. 数字和字母、字母和字母间的乘号可以省略，也可以记作"·"，但数字要写在字母的前面.

2. 数字与数字间的乘号不能省略.

3. $a^2 = a \cdot a \neq a + a$，$a^2 \neq 2 + a$，$a^2 \neq 2a$.

4. 如果知道一个式子中各字母所表示的数值,把它们代入式子中,就可求出式子的值.代入时要把原来省略的运算符号重新补上去.

例1 (1) 一辆汽车每小时行驶 a 千米,8 小时行驶多少千米?

(2) 根据这个式子,当 a 等于 70 的时候,共行驶多少千米?

解 (1) 8 小时行驶 $8a$ 千米;

(2) $a=70$ 时,$8a=8\times70=560$.

答 共行驶 560 千米.

例2 有三个连续自然数,中间的一个数是 $a+1$, 那么较大的一个数是________,较小的一个数是________.

分析 连续自然数中,每相邻的两个数的差是 1,中间的一个数是 $a+1$,那么较小的数比 $a+1$ 少 1,即是 a;较大的数比 $a+1$ 多 1,即是 $a+2$.

解 较大的一个数是 $a+2$,较小的一个数是 a.

随堂练习 1 填空:

(1) 大米每千克 x 元,面粉每千克 y 元,买 15 千克大米与 10 千克面粉共需________元;

(2) 用拖拉机耕地 100 公顷,原计划每天耕 x 公顷,如果每天多耕 5 公顷,实际只需________天耕完;

(3) 小明的体重比小华重 2 千克,如果小明的体重为 x 千克,那么,小华的体重为________千克;

(4) 商品单价 a 元,按 9 折出售,售价为________元.

例3 已知长方形的长是宽的 1.5 倍,如果用 a 表示宽,那么这个长方形的周长 l 是多少？当 $a=12$ 厘米时，求 l.

解 $l=2\cdot(a+1.5a)=2\times2.5a=5a$.

当 $a=12$ 厘米时，$l=5\times12=60$(厘米).

答 当 $a=12$ 厘米时，长方形的周长 l 等于 60 厘米.

例 4 卡车每小时耗油约 10 升，开始行驶时油箱中有油 50 升.

(1) 用代数式表示行驶 x 小时后，油箱中的余油量；

(2) 分别计算 2 小时、5 小时后油箱中的余油量.

解 (1) 行驶 x 小时后，应耗去油 $10x$ 升，这时油箱中的余油量是 $(50-10x)$ 升；

(2) 当 $x=2$ 时，

$$50-10x=50-10\times2=30(\text{升})；$$

当 $x=5$ 时，

$$50-10x=50-10\times5=0(\text{升}).$$

说明 当 $x=5$ 时，$50-10x=0$(升)，表明卡车最多能行驶 5 小时的路程.

随堂练习 2

(1) 填表：

a	3	4	
$a-3$			5
a^2+1			

(2) 整数 23 读作“二十三”，应该是 $23=10\times2+3$. 如果一个三位数百位、十位和个位上数字分别是 a、b、c，那么这个三位数应该是(　　).

例 5 一种树苗高用 h 表示，树苗生长的年数用 a 表示，测得的有关数据如下表(树苗原高 100 cm)：

年数 a	高度 h(cm)
1	100+5
2	100+10
3	100+15
4	100+20
…	…

(1) 写出用年数 a 表示高度 h 的公式；

(2) 利用上面公式计算生长了 6 年的树苗的高度.

分析 观察表中的数据，可以看到每年树苗长高 5 cm，a 年树苗的高度 h 在 100 cm 的基础上，长高 $5a$(cm).

解 (1) $h = 100 + 5a$；

(2) 当 $a = 6$ 时，$h = 100 + 5 \times 6 = 130$(cm).

说明 这个实际问题中，涉及两个变量，它们之间存在着对应关系. 根据题目所给的一些对应数据，我们可以分析、归纳、概括出两个变量之间的一般公式；还可以通过给出的对应数据检验所得到的公式是否正确. 这是一个由特殊到一般、由具体到抽象的思维过程，用字母表示数可以把两个量之间的关系简明地表达出来.

例 6 如图 10-1 所列每个图形是由若干盆花组成的形如三角形的图案，每条边(包括两个顶点)有 $n(n > 1)$ 盆花，每个图案花盆的总数是 S.

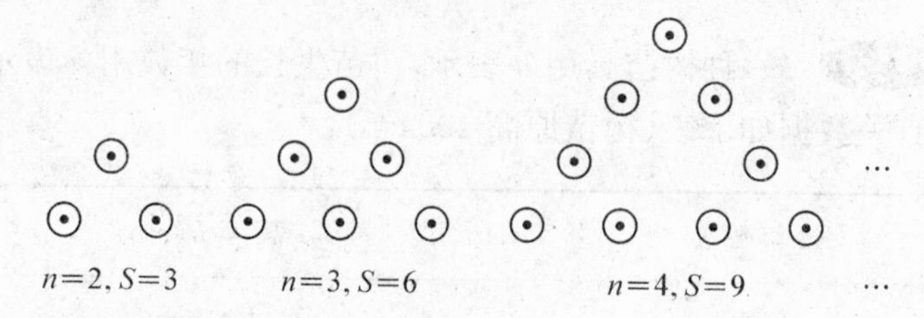

图 10-1

按此规律推断，S 与 n 的关系式是________________.

分析 由图中排列规律可设想，每条边上有 $n(n>1)$ 盆花，而位于三角形图案顶点处的花盆在计算总数时均多计算一次，故应去掉重复的花盆数 3.

解 S 与 n 的关系式为：$S=3n-3$.

随堂练习 3

(1) 如图 10-2 是由火柴棒拼出的一系列图形，第 n 个图形由 n 个正方形组成，通过观察可以发现：

① 第 4 个图形中火柴棒的根数是________；

② 第 n 个图形中火柴棒的根数是________.

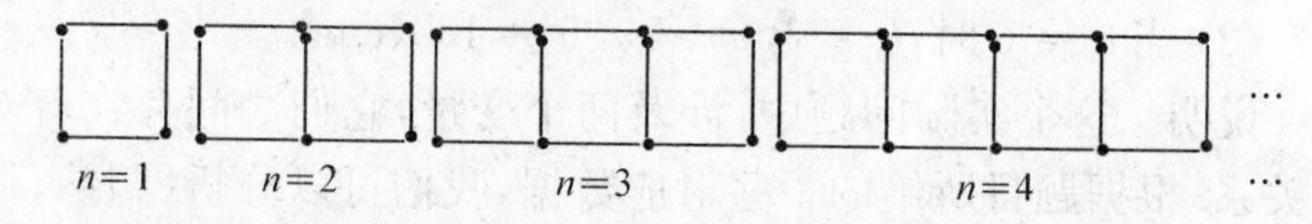

图 10-2

(2) 一种放铅笔的 V 形槽如图 10-3，从下向上数，第一层放 1 支，第二层放 2 支，依次每层多放 1 支，只要数一数顶层的支数 n，就可以算出槽内铅笔的支数.

① 用字母 n 表示槽内铅笔的支数的计算公式；

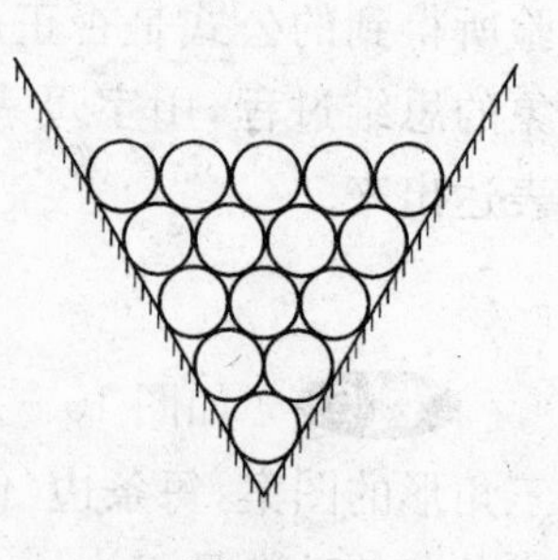

图 10-3

② 当 $n=6$，$n=12$ 时，分别算出铅笔的支数.

读一读

宋代数学教育家杨辉

1

1　1

1　2　1

1　3　3　1

1　4　6　4　1

1　5　10　10　5　1

1　6　15　20　15　6　1

大家看到上面这个像金字塔一样的数字三角形，一定会问这是什么玩艺儿呀？呵呵，这个三角形一般叫做“帕斯卡三角形”，在中国叫做“贾宪三角”或“杨辉三角”，可以说在中、西方都挺有名气的喔！

这个三角形怎么得到的呢？先在纸上写出一行和一列的“1”，然后在各个位置中填入数字，每一个位置上的数字都是它左上方和右上方两个数的和. 由此就得到上面的数字三角形了！

杨辉

现在的数学书里，都把这个三角形称为“帕斯卡三角形”. 事实上，在南宋杨辉所写的数学书里面，早就介绍了由北宋贾宪所创造出的相同三角形了(所以在中国称为“贾宪三角”或“杨辉三角”），时间可要比帕斯卡早了约六百年呢！

到底这个三角形有什么用处呢？其实，这个三角形的每一行的数字，恰好就是中学会学到的 $(a+b)^n$ 的展开式的系数. 杨辉是南宋时期杰出的数学家和数学教育家，他在 13 世纪的时候活动于苏杭一带，写过很多数学方面的书.

练　习　题

一、填空题

1 四(1)班有少先队员 50 人，其中女少先队员 a 人，男少先队员有________人.

2 二年级种向日葵 a 棵，二年级比三年级少种 23 棵，三年级种向日葵________棵.

3 一块麦田 100 公顷，每公顷施肥 x 千克，共施肥________千克.

4 某汽车厂 8 月份生产汽车 n 辆，9 月份的产量比 8 月份的 2 倍少 5 辆，9 月份的产量是________辆.

5 当 $a=$ ________ 时，$8\div a=1$；

当 $a=$ ________ 时，$8\div a=8$；

当 $a=$ ________ 时，$8\div a=2$.

6 当 $b=$ ________ 时，$b\div 10=1$；

当 $b=$ ________ 时，$b\div 10=0$；

当 $b=$ ________ 时，$b\div 10=100$.

二、选择题

7 用字母表示乘法的结合律是(　　).

(A) $a\cdot b=b\cdot a$

(B) $(a+b)\cdot c=a\cdot c+b\cdot c$

(C) $(a\cdot b)\cdot c=a\cdot(b\cdot c)$

(D) $c\cdot(a+b)=c\cdot a+c\cdot b$

8 甲数是 c,它比乙数的$\frac{1}{2}$少 a,表示乙数的式子是(　　).

(A) $c+2a$　　(B) $c-\frac{1}{2}a$

(C) $\frac{1}{2}a-c$　　(D) $2(a+c)$

9 铅笔每支 a 元,作业本每本 b 元,买 2 支铅笔和 6 本作业本共(　　)元.

(A) $6a+2b$　　(B) $(2+6)\cdot(a+b)$

(C) $2a+6b$　　(D) $(2+6)ab$

10 如图是 L 形钢条的截面,下面有五个计算它的面积 S 的式子:

(1) $S=at+(b-t)t$;

(2) $S=(a-t)t+bt$;

(3) $S=(a-t)t+t^2+(b-t)t$;

(4) $S=at+bt-t^2$;

(5) $S=ab-(a-t)(b-t)$.

那么五个式子中(　　).

(A) 只有(1)、(2)正确

(B) 只有(3)、(4)正确

(C) 只有(1)、(2)、(3)、(4)正确

(D) (1)、(2)、(3)、(4)、(5)都正确

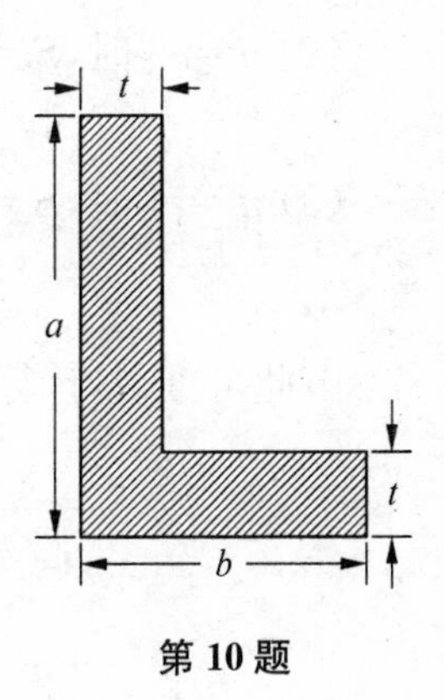

第 10 题

三、简答题

11 (1) 一种图书原价为 n 元,现 8 折出售,它的优惠价是多少?

(2) m 张贺年卡的售价是 4 元,则 5 张贺年卡的售价是多少?

12 某市出租车的收费标准为:起步价(行驶路程在 3 千米以

内的价格)为5元,当行驶路程超过3千米以后,每千米收费2元,用 s 表示行驶路程,f 表示价格,完成下面的价格表.

s(千米)	1	2	3	4	5	6	7	8	9	10
f(元)										

13 阶梯教室第一排有 a 个座位,后面每排都比前一排多2个座位,第2排、第3排各有几个座位?用 m 表示第 n 排的座位数,m 是多少?求 $a=20$ 且 $n=12$ 时,m 的值.

14 n 个点在一条直线上,用 S 表示连结每两点的线段的总数,那么,有:

(1) $n=2$ 时,$S=1=\frac{1\times 2}{2}$;

(2) $n=3$ 时,$S=1+2=\frac{2\times 3}{2}$;

(3) $n=4$ 时,$S=1+2+3=\frac{3\times 4}{2}$;

1 2 3 4
(1) (2) (3)

……

由此可推得,计算 S 的公式为:

________________.

第11讲

一元一次方程

我们学过这样填括号的题,如(　　)$+8=15$. 括号里的数怎样求解呢?这个我们可以利用加减法的关系来求解.我们知道,一个加数+另一个加数=和,那么,求其中的一个加数,就可以用和减去另一个加数.因为 $15-8=7$,所以括号里填7.

括号里的未知数还可以用 x 来表示,那么

$$x+8=15,$$
$$x=15-8,$$
$$x=7.$$

这就是运用一元一次方程来解决问题,显得十分简便,本讲内容主要向大家介绍它的意义和作用.

1. 概念

(1) 方程:含有未知数的等式,叫做方程;

(2) 方程的解:使方程左右两边相等的未知数的值,叫做方程的解;

(3) 解方程:求方程的解的过程叫做解方程.

2. 解方程的依据

解方程主要依据加法与减法、乘法与除法的互逆关系:

一个加数 = 和 − 另一个加数
被减数 = 差 + 减数
减数 = 被减数 − 差
一个因数 = 积 ÷ 另一个因数
被除数 = 商 × 除数

$$除数 = 被除数 \div 商$$

3. 解方程的步骤

(1) 根据四则运算中各部分间的相互关系,求出 x;

(2) 把 x 的值代入原方程检验.

例 1 在 $2x+1$、$3+5=6+2$、$x-1<5$、$3x=15$ 中,________是方程,这个方程的解是________.

分析 方程必须符合两个条件:一是“等式”,二是“含有未知数”. $2x+1$ 虽含有未知数,但不是等式; $3+5=6+2$ 虽是等式但不含未知数,也不是方程; $x-1<8$ 是不等式; $3x=15$ 既是等式又含有未知数,所以它是方程. 当 $x=5$ 时,左右两边的值都是 15,所以 $x=5$ 是方程 $3x=15$ 的解.

解 在 $2x+1$、$3+5=6+2$、$x-1<8$、$3x=15$ 中,$3x=15$ 是方程,这个方程的解是 $x=5$.

说明 方程是等式,等式不一定是方程,两者之间关系如图 11-1 所示.

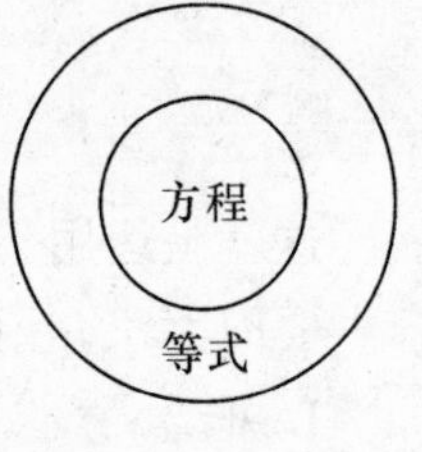

图 11-1

例 2 解方程 $2x+5=17$.

解 把 $2x$ 看成一个加数,根据“一个加数=和-另一个加数”得

$$2x=17-5,$$

化简得

$$2x=12,$$

把 x 看成一个数,根据“ 一个因数 = 积 ÷ 另一个因数 ”得

$$x=12\div 2,$$

化简得

$$x=6.$$

检验：把 $x=6$ 代入原方程得

$$左边=2\times6+5=17,$$

则 $$左边=右边.$$

所以，$x=6$ 是原方程的解.

说明 (1) 以后解方程，除要求写出检验过程的以外，都用口算进行检验.

(2) 因为方程是含有未知数的等式，所以每一个方程都有一个等号和两个相等的式子. 在解方程的过程中不能连等，一般每一行中只写一个方程，而且方程中的等号要写得上下对齐.

随堂练习 1

(1) 填空题：

① ________ $+5=17$； ② $30-$ ________ $=12$；

③ $1000\times$ ________ $=0$； ④ ________ $\div4=8$.

(2) 解下列方程：

① $x+2.5=3$； ② $x-0.1=1$；

③ $999-x=9$； ④ $x\div5=20\div4$.

例 3 解方程 $2\times4-(2x+1)=7$.

分析 这个方程稍复杂点，我们可以采取“抓主干”、“带枝叶”的办法，即先抓住方程中大范围内的数量关系，再抓住小范围内的数量关系，主次分明了，问题就能顺利解决. 先把 $2x+1$ 看作减数，根据“减数 = 被减数 − 差”，将方程变为 $2x+1=2\times4-7$，简化即得 $2x+1=1$；再把 $2x$ 看作一个加数，根据“一个加数 = 和 − 另一个加数”，将方程变成 $2x=1-1$，简化即得 $2x=0$；至此，再根据“一个因数 = 积 ÷ 另一个因数”，即可求出方程的解；最后，可以口算进行检验.

解 $2\times4-(2x+1)=7$， ⟶ 把“$2x+1$”看作减数.

$$2x + 1 = 2 \times 4 - 7,$$

$$2x + 1 = 1, \longrightarrow \text{把“}2x\text{”看作一个加数.}$$

$$2x = 1 - 1,$$

$$2x = 0, \longrightarrow \text{把“}x\text{”看作一个因数.}$$

$$x = 0.$$

例 4 38 与一个数的 4 倍的和是 70,求这个数.

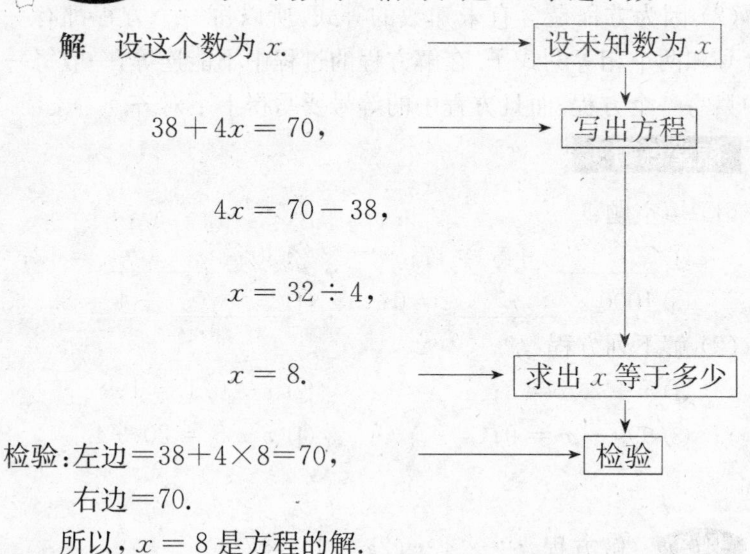

解 设这个数为 x.

$$38 + 4x = 70,$$

$$4x = 70 - 38,$$

$$x = 32 \div 4,$$

$$x = 8.$$

检验:左边$=38+4\times8=70$,

右边$=70$.

所以,$x = 8$ 是方程的解.

例 5 某数加上 7 再乘以 4,减去 8,得 56. 这个数先减去 8,再乘以 4,然后加上 7,得多少?

分析 这个问题由两部分组成,根据前半部条件求出这个数,再计算后半部的结果. 前半部是一个逆向思考的文字叙述题,用算术方法解容易出现差错,用方程来解,可化难为易,即把逆向思考的问题转化为顺向思考的问题.

解 设这个数为 x,则

$$4(x+7)-8=56, \longrightarrow 把“4(x+7)”看成被减数.$$

$$4(x+7)=56+8,$$

$$4(x+7)=64, \longrightarrow 把“x+7”看成一个因数.$$

$$x+7=16, \longrightarrow 把“x”看成一个加数.$$

$$x=16-7,$$

$$x=9.$$

将 $x=9$ 代入 $(x-8)\times4+7$ 得

$$(9-8)\times4+7=11.$$

答　得数是 11.

随堂练习 2

(1) x 的 6 倍与 31 的和是 49，求 x.

(2) 比一个数的 2 倍少 3 的数是 11，求这个数.(用方程解)

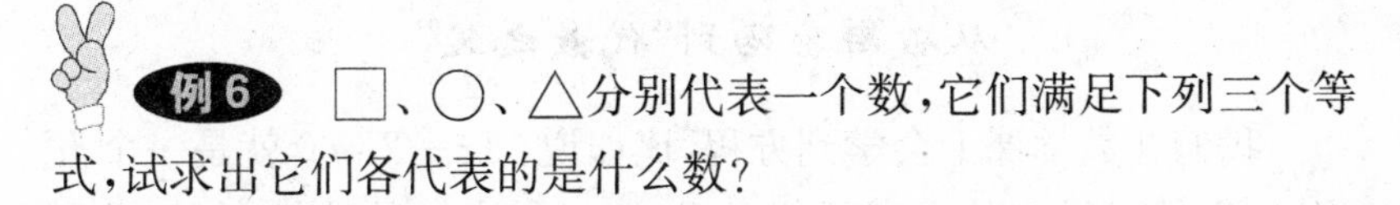

例 6　□、○、△分别代表一个数，它们满足下列三个等式，试求出它们各代表的是什么数？

$$\square+\square+\triangle=46, \quad ①$$

$$\square+\triangle+\triangle=47, \quad ②$$

$$\square+\bigcirc+\triangle=48. \quad ③$$

解　等式①和等式②的等号左、右两边分别相加得

$$3\times\square+3\times\triangle=93,$$

等式两边都除以 3 得

$$\square+\triangle=31. \quad ④$$

等式③与等式④的等号左右两边分别相减得 $\bigcirc=17$.

等式②与等式④的等号左右两边分别相减得 $\triangle=16$.

等式①与等式④的等号左右两边分别相减得 □ = 15.

所以，□代表 15，△代表 16，○代表 17.

随堂练习 3

(1) 下面的等式中，□代表一个未知数，求出它等于多少?

$$□ \times 5 + 2 - 18 \div 2 = 3.$$

(2) 下面两个等式中，△和□各代表一个数，△和□分别是多少?

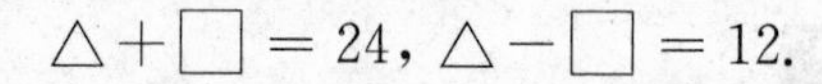

$$△ + □ = 24,\ △ - □ = 12.$$

读一读

从破解密码到“代数之父”

我们在数学课上会学到方程，比如说：$3x + 2 = 0$ 就是一个方程，这里的 x 没有什么实际的意思，不过是未知数的代表. 如果我们不用方程式，该怎么说呢?“一个未知数的三倍加上 2 等于零.”这样说多麻烦啊，而且意思还容易弄错. 数学家们成天都要和无数复杂的运算打交道，这样可不行!

没关系，数学家有数学家的语言，他们会用一些抽象的字母和符号来表达. 不过，这一套数学语言可不是天生的，是有人最先创造使用，然后其他人也开始用，才逐渐推广开的.

第一个吃螃蟹的人是谁呢? 首先开始有意识地、系统地使用符号的人就是韦达. 韦达是 16 世纪末的法国科学家，因为他在发展现代的代数学上起了决定性的作用，后世称他为“代数之父”.

韦达的本职是律师，他利用业余时间研究数学，他把所有的空闲时间都用在数学的研究上，有时候为了解决一个问题，可以一连几天不睡觉.

那个时候，西班牙和法国正在进行战争，西班牙军队使用很复杂的密码来传递消息．这样，就算信件被别人发现，别人也不知道写的是什么意思．有一次，法国军队截获了一些秘密信件，但是没有办法破译密码的意思．法国国王就请来大名鼎鼎的韦达帮忙．经过一番研究，韦达终于揭开了密码的秘密，帮了法国军队一个大忙．

韦达

韦达在破解密码的时候大受启发．他想：密码就是大家事先约定好一套符号，只有内部的人才知道意义，用这种别人不懂的符号来传递消息，就可以十分安全．其实，在数学中，我们不也可以借助这样的做法吗？数学家可以约定好，特定的符号表示特定的意思，这样写起来就方便多了，也简单多了．对啊！以前怎么就没想到呢？

后来，韦达又进一步研究，出版了一部数学专著．他不但用字母来表示未知数，还用字母来表示方程中的系数．比如，一次方程我们可以表示成：$ax+b=0$．这些用法在今天看来小学生都会使用，但是在那时候是一种独创性的做法．

韦达是一个伟大的开拓者，他赢得了“代数之父”的美誉．不过他的工作还没有完成，后来很多科学家在他的基础上，不断地完善这个符号体系．今天，数学还在发展，数学语言也在不断丰富它的“词汇”．

练　习　题

一、填空题

1 (1) $2\times\square+4=24$；　　(2) $30-4\times\square=2$.

2 ________加上 5 再乘以 4 等于 36.

3 有一个数,除以 5,乘以 4,减去 15,再加上 35,等于 100,这个数是________.

4 如果甲、乙两数之和为 24,甲、乙两数之差为 14,那么甲是________,乙是________.

5 如果 $x+8=13$,那么 $3x+8=$ ________.

6 方程 $12-3(x-1)=9$ 的解是 $x=$ ________.

二、选择题

7 方程 $3-2x=7x-6$ 的解是(　　).

(A) $x=0$　　(B) $x=1$

(C) $x=2$　　(D) $x=3$

8 在等式 $4\times○-6+7=17$ 中,○代表一个数,它是(　　).

(A) 4　　(B) 3

(C) 5　　(D) 7

9 等式 $3\times(\square+10)+\square=38$ 中,□所代表的数是(　　).

(A) 2　　(B) 4

(C) 3　　(D) 1

10 甲、乙两数,它们的和为 30,甲数是乙数的 2 倍,甲、乙分别是(　　).

(A) 10、20　　(B) 20、10

(C) 15、30　　(D) 30、15

三、简答题

11 解下列方程:

(1) $6x+10=11x$;　　(2) $3x+1=9-x$.

12 列出方程,并求出方程的解.

(1) 从 56 里减去 x 的差的 4 倍等于 12;

(2) 某数与 7 的差的 7 倍等于 35.

13 看图计算，一把香蕉是多少克？

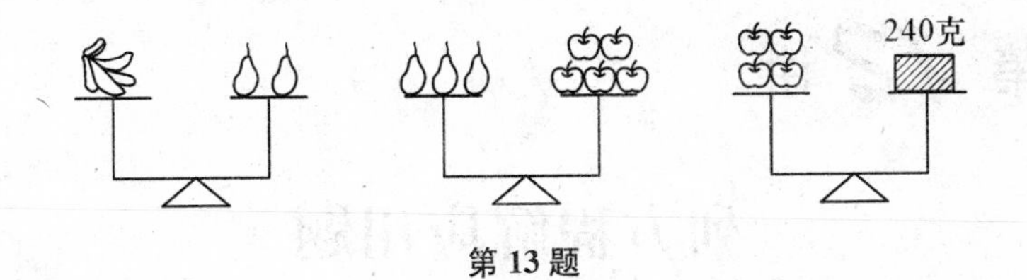

第 13 题

14 ●、□、△各代表一个数，它们满足下列三个等式，求它们各代表什么数？

(1) △＋□＋●＝53，

(2) △＋□＋□＝51，

(3) △＋△＋□＝48.

第 12 讲

列方程解应用题

列方程解应用题时，由于引进了字母 x，所以在分析应用题时，不必绕过未知数，而把未知数暂时看作已知数，直接参与列式运算，这样的解题思路更加直接了当，降低了思维难度，适用面广. 特别是用算术方法需要逆解的题，列方程解往往比较容易.

列方程解应用题，一般按下面的步骤进行：

(1) 弄清题意，找未知数并用 x 表示；

(2) 找出应用题中数量间的相等关系后列方程；

(3) 解方程；

(4) 检验，写出答案.

例 1 班上有 37 名同学，分成人数相等的两队进行拔河比赛，恰好余 3 人当裁判员，每个队有多少人？

分析 这个问题怎样解呢？我们可以采用两种方法：一种方法是直接列算式，另一种方法是列方程求解. 前者叫算术解法，后者叫做方程解法.

解法一 （算术解法）

两队的人数：$37-3=34$(人)；

每队的人数：$34\div2=17$(人).

或者列成一个综合算式：

$$(37-3)\div2=34\div2=17(\text{人}).$$

解法二 （方程解法）

设每队有 x 人，两队就是 $2x$ 人，加上余下的 3 人，就是全班 37 人. 根据题意，得方程

$$2x+3=37.$$

解方程得

$$x=17.$$

所以，每个队有 17 人.

说明 小学学过的应用题，既可以用算术方法解，也可以用方程方法解，有时算术方法容易些，有时代数方法容易些. 但是，随着学习的深入，遇到的问题也就越来越复杂，将会看到，使用方程解应用题的优越性越来越大.

例 2 10 箱苹果比 6 箱梨重 54 千克，每箱梨重 16 千克，每箱苹果重多少千克？

解法一 设每箱苹果重 x 千克，根据数量关系

$$\boxed{\text{10 箱苹果的重量}}-\boxed{\text{6 箱梨的重量}}=\boxed{\text{54 千克}}$$

列方程得

$$\begin{aligned}10x-16\times 6&=54,\\10x&=16\times 6+54,\\10x&=150,\\x&=15.\end{aligned}$$

答 每箱苹果重 15 千克.

解法二 设每箱苹果重 x 千克，根据数量关系

$$\boxed{\text{10 箱苹果的重量}}-\boxed{\text{54 千克}}=\boxed{\text{6 箱梨的重量}}$$

列方程得

$$\begin{aligned}10x-54&=16\times 6,\\x&=15.\end{aligned}$$

解法三 设每箱苹果重 x 千克,根据数量关系

$$\boxed{6\text{ 箱梨的重量}}+\boxed{54\text{ 千克}}=\boxed{10\text{ 箱苹果的重量}}$$

列方程得

$$16\times6+54=10x,$$
$$x=15.$$

解法四 设每箱苹果重 x 千克,根据数量关系

$$\boxed{\text{苹果的重量}}\div\boxed{\text{每箱苹果的重量}}=\boxed{\text{苹果的箱数}}$$

列方程得

$$(16\times6+54)\div x=10,$$
$$x=15.$$

说明 我们从不同角度思考,列出了四种不同形式的方程.它们彼此联系,形异质同.

随堂练习 1

(1) 果园里有梨树和桃树,桃树的棵数是梨树的 5 倍,比梨树多 480 棵.梨树和桃树各有多少棵?

(2) 汽车上共有 1500 千克梨,卸下 600 千克梨之后,还有 45 箱.每箱梨重多少?

例 3 父亲今年 32 岁,儿子今年 5 岁,几年以后,父亲的年龄正好是儿子的年龄的 4 倍.

分析 这道题的数量关系是:儿子的年龄×4＝父亲的年龄.不过有一点要注意,关系式中的年龄均指几年后的年龄,并且儿子与父亲的年龄是同步增加的.

解 设 x 年后父亲的年龄是儿子年龄的 4 倍,到那时,父亲年龄是 $(32+x)$ 岁,儿子年龄是 $(5+x)$ 岁.

根据题意列方程得

$$32+x=(5+x)\times4,$$
$$32+x=20+4x,$$

$$20+4x-x=32,$$
$$3x=32-20,$$
$$x=4.$$

答 4年后父亲的年龄是儿子年龄的4倍.

例4 甲、乙两人生产零件,甲生产了8小时,乙生产了6小时,甲比乙多生产了88个.已知甲每小时比乙少生产2个,求乙每小时生产多少个?

分析 88个零件是甲8小时产量与乙6小时产量之差,根据这个数量关系列方程,关键是要知道甲、乙每小时各生产多少个.从题目条件中已知"甲每小时比乙少生产2个",可设乙每小时生产 x 个,则甲每小时生产 $(x-2)$ 个.这样,就可以列出方程,求出乙的工作效率.

解 设乙每小时生产 x 个,那么甲每小时生产 $(x-2)$ 个.根据题意得

$$(x-2)\times 8-6x=88,$$
$$8x-16-6x=88,$$
$$2x=88+16,$$
$$x=52.$$

答 乙每小时生产52个.

随堂练习2

(1) 一个畜牧场,每天生产牛奶和羊奶共2346千克,生产的牛奶量是羊奶的5倍,问:每天生产羊奶和牛奶各多少千克?

(2) 两个车间共有工人68名,如果从第一车间调6名到第二车间,两车间人数就相等.求两个车间原有人数.

例5 已知篮球、足球、排球平均每个36元,篮球比排球每

个多 10 元，足球比排球每个多 8 元，每个足球多少元？

分析 因为题中篮球、足球都与排球进行比较，所以可把排球的单价设为 x 元，这样篮球和足球的单价可分别表示为 $(x+10)$ 元和 $(x+8)$ 元，三种球各买一个的总价为 $x+(x+10)+(x+8)$ 元. 另一方面，由已知篮球、足球、排球平均每个 36 元知三种球各买一个的总价为 $36\times 3=108$ 元，这就可列出方程. 求出排球的单价后就能求出足球的单价.

解 设每个排球 x 元，根据题意得方程

$$x+(x+10)+(x+8)=36\times 3,$$
$$3x+18=108,$$
$$x=30.$$
$$30+8=38(\text{元}).$$

答 每个足球 38 元.

说明 此题如果直接设每个足球 x 元，则稍繁一些.

例 6 有四个数，从中每次取出三个数相加，得到的四个和分别是 22, 24, 27, 20. 求这四个数各是多少？

分析 如果直接设四个数中某个数为 x，则其他数用 x 表达比较困难. 但是若设四个数的和为 x，则这四个数就可分别表示为 $x-22$, $x-24$, $x-27$, $x-20$. 从而不难列出方程.

解 设这四个数的和为 x，则有

$$(x-22)+(x-24)+(x-27)+(x-20)=x,$$
$$4x-93=x,$$
$$x=31.$$
$$x-22=9,\ x-24=7,\ x-27=4,\ x-20=11.$$

答 这四个数分别为 4, 7, 9, 11.

说明 以上两题属间接设未知数法，当不能或难以直接设未知数时，常用这种方法.

随堂练习 3

(1) 小张期中考试,考了四门功课,语文 78 分,自然 83 分,历史 81 分,数学分数比四门功课的平均分多 7 分.数学考了多少分?

(2) 甲、乙两地相距 180 千米,一人骑自行车从甲地出发每小时走 15 千米,另一人骑摩托车从乙地同时出发,两人相向而行.已知摩托车车速是自行车的 3 倍,问:多少小时后两人相遇?

读一读

退位让贤的好老师

牛顿经常回忆说:"巴罗博士当时讲授关于运动学的课程,也许正是这些课程促使我去研究这方面的问题."

这个巴罗博士,就是牛顿的恩师,是第一个发现牛顿天才的人,也是把他带到科学殿堂的人.

牛顿 19 岁时进入剑桥大学,学校给他减了一部分的学费,他自己还为学校做杂务,来付剩下的学费.在这里,牛顿开始接触到大量科学著作,经常参加学院举办的各类讲座,包括地理、物理、天文和数学.

牛顿的第一任教授伊萨克·巴罗是个博学多才的学者,这位学者独具慧眼,看出了牛顿具有深邃的观察力、敏锐的理解力.于是将自己的数学知识,全部传授给牛顿,并把牛顿引向了近代自然科学的研究领域.

当时,牛顿在数学上很大程度是依靠自学,他学习了欧几里得的《几何原本》,在他看来那太容易了;然后他又读笛卡儿的《几何学》,沃利斯的《无穷算术》,巴罗的《数学讲义》及韦达等许多数学家的著作.

1664 年,牛顿被选为巴罗教授的助手,第二年,他获得了剑桥大学学士学位.

后来,巴罗教授为了提携牛顿,自己辞去了教授之职,26 岁的牛顿,年纪轻轻就被晋升为数学教授.巴罗让贤,在科学史上一直被传为佳话.

练 习 题

一、填空题

1 某数的 3 倍加 8 与这个数的 5 倍减 10 相等,这个数是______.

2 某班有女生 25 人,比男生的 3 倍少 20 人,这个班有______人.

3 根据“x 的 3 倍与 5 的和等于 x 的 10 倍与 7 的差”所列出的方程是______.

4 甲是乙的 4 倍,若两数各减 20,则甲是乙的 6 倍,原来甲是______,乙是______.

5 奶奶今年 56 岁,恰好是小芳年龄的 7 倍,______年后奶奶年龄是小芳年龄的 3 倍.

6 一次数学竞赛共 15 道题,每做对一道题得 8 分,做错一道题倒扣 4 分.李小明所有题都做了,但只得 72 分,他做对了______道题.

二、选择题

7 某数的 5 倍减 14 等于它的 2 倍加 4,那么这个数是(　　).

(A) 8　　(B) 6　　(C) 4　　(D) 9

8 用一匹布做旗子,若做 4 面就多出 12 米,若做 6 面就少 4 米,那么这匹布长(　　).

(A) 44 米　　(B) 28 米　　(C) 48 米　　(D) 36 米

9 小亮与父亲 5 年后的年龄和为 45 岁,父亲今年年龄恰好是小亮年龄的 6 倍,小亮 5 年后年龄为(　　).

(A) 5 岁　　(B) 7 岁　　(C) 10 岁　　(D) 13 岁

10 甲袋中球数是乙袋中球数的 6 倍,从甲袋中拿出 13 个球后等于乙袋放入 12 个球后的球数,那么乙袋中原有球(　　).

(A) 30 个　　(B) 5 个　　(C) 18 个　　(D) 25 个

三、简答题

11 一个三位数,它的十位数字比百位数字大 3,个位数字比十位数字少 4,它的各位数字之和的一半恰好等于十位数字,求这个三位数.

12 好马每天走 240 千米,劣马每天走 150 千米,劣马先走 12 天,好马几天可以追上劣马?

13 全区各小学共配备计算机 570 台,其中 5 所小学每校 30 台,其余学校每校 20 台,全区共有多少所小学?

14 有 70 块糖,如果第一个小朋友所分得的是第二个小朋友的 2 倍,第二个小朋友所分得的是第三个小朋友的 2 倍,最后还剩下 7 块糖没分.问:每个小朋友各分得几块糖?

第13讲

平均数应用题(一)

在日常生活中,我们常能遇到有关平均数的问题,比如,在排球、篮球等项目的体育比赛中,体育播音员要介绍每名参赛队员的身高,以及每个队的平均身高.我们一听就能了解哪个队队员的身体条件好一些.当然,并不是身体条件好的就一定获胜,但至少这是一种优势.

平均数是一个重要的统计量,应用十分广泛.工农业生产上用平均月产量、平均公顷产量来检验生产效率.用同年龄不同地区儿童的平均身高、平均体重来分析儿童的生长发育的区域差异等等.

平均数应用题的基本特点是,把几个大小不等的数量,在总量不变的情况下,通过移多补少,使它们成为相等的几份,求其中的一份是多少.解题时关键要确定"总数量"以及与"总数量"相对应的"总份数",然后用总数量除以总份数求出平均数.

求平均数问题的基本数量关系是

$$总数量 \div 总份数 = 平均数.$$

反过来,已知平均数,我们又可以求出总数量,即

$$总数量 = 平均数 \times 总份数.$$

某小学举行歌咏比赛,六名评委对某位选手打分如下:

77分	82分	78分	95分	83分	75分

去掉一个最高分和一个最低分后的平均分是多少?

分析 六位评委的评分,去掉一个最高分和一个最低分后,剩下的分数为:77, 82, 78, 83.

解
$$(77+82+78+83)\div 4$$
$$=320\div 4$$
$$=80(分).$$

答 所求的平均分是 80 分.

例 2 气象站在某一天的 1 点、7 点、13 点、19 点测得温度分别是 11℃、14℃、23℃、16℃,算出这一天的平均温度.

分析一 用总度数除以测的次数就可以得到这一天的平均温度.

解
$$(11+14+23+16)\div 4$$
$$=64\div 4$$
$$=16(℃).$$

分析二 还可以用设"基数"的方法解答.设以 4 次中最低的温度 11℃为基数,先求出其他温度与基数的差,再求出这些数的平均数,最后再加上基数.

解 $11+[(14-11)+(23-11)+(16-11)]\div 4$
$=11+5$
$=16(℃).$

答 这一天的平均温度为 16℃.

随堂练习 1

(1) 求 2, 4, 6, 8 四个数的平均数.

(2) 第一小组共 6 名学生,在一次"引体向上"的测试中,他们分别做了 8, 10, 8, 7, 6, 9 个.这 6 名学生平均每人做了几个?

例 3 小宇 4 次语文测验的平均成绩是 89 分,第 5 次测验

得了 94 分. 问:他 5 次测验的平均成绩是多少?

分析一 先求出前 4 次测验的总分,加上第 5 次测验的成绩,除以测验的次数(5 次),就得到 5 次测验的平均成绩.

解法一 $(89\times4+94)\div5=90$(分).

答 5 次测验的平均成绩是 90 分.

分析二 也可以由图 13-1 分析得:第 5 次 94 分比前 4 次的均分 89 分多 5 分,这 5 分平均加给每次的 89 分(第 5 次也看作 89 分),就得到 5 次测验的平均成绩.

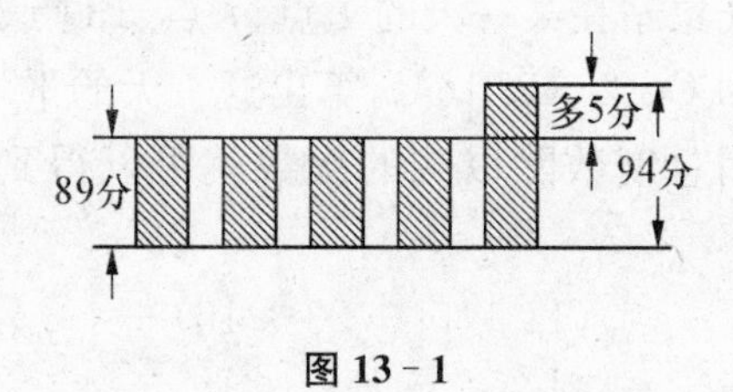

图 13-1

解法二 $89+(94-89)\div5=89+5\div5=90$(分).

例 4 小阳期末考试语文得 85 分,数学比英语多得 5 分,那么英语要考多少分,3 科平均成绩才能达到 90 分?

分析一 要使 3 科平均成绩达到 90 分,3 科总分应为 90 分的 3 倍. 把 3 科总分减去语文的成绩,就是英语和数学应考的总成绩.

解法一

$$\begin{aligned}&90\times3-85\\=\ &270-85\\=\ &185(\text{分}),\end{aligned}$$

$$(185-5)\div2=90(\text{分}).$$

分析二 语文 85 分比平均分少 $90-85=5$(分),数学正好比英语多 5 分,采取"移多补少"的方法,数学应得 $90+5=95$(分),英语就是平均分 90 分.

解法二 $90-85=5$(分),

$90+5=95$(分),

$(85+90+95)\div 3=90$(分).

答 英语应考 90 分,3 科平均成绩才能达到 90 分.

随堂练习 2

(1) 某学生语文、数学两科的平均成绩是 93 分,后来英语考 91 分,自然考 89 分.该学生这 4 门功课的平均成绩是多少分?

(2) 小叶 4 次语文测验的平均成绩是 87 分,5 次语文测验的平均成绩是 88 分.第 5 次测验得了多少分?

例 5 3 个人轮流背两个行李包,走了 12 千米,问:平均每人背多少千米?

分析 题目要求平均每人把一个行李包背多少千米,两个行李包各移动了 12 千米,相当于一个行李包移动了 $12\times 2=24$(千米),这就是"总数量",把它平均分给 3 个人,就求出了每人平均背多少千米.

解

$$12\times 2\div 3$$
$$=24\div 3$$
$$=8\text{(千米)}.$$

答 平均每人背 8 千米.

例 6 有一条山路,一辆汽车上山每小时行 30 千米,从原路返回下山时每小时行 60 千米,求汽车上、下山的平均速度.

分析 此题有人这样解:$(30+60)\div 2=45$(千米),即汽车上、下山平均速度是每小时 45 千米.这种解法显然是错误的.

一般来说,求平均速度需要有两个最基本的条件:一是总路程,二是总时间.这又偏偏是本题所没有的.怎么办呢?我们不妨假设上山的路程为 60 千米,那么求平均速度就不再困难了.

解　假设上山路程为 60 千米. 那么上山时间为 $60 \div 30 = 2$（小时）；下山时间为 $60 \div 60 = 1$（小时）. 根据总路程÷总时间＝平均速度，可求出汽车上、下山的平均速度为

$$(60+60) \div (2+1) = 120 \div 3 = 40（千米）.$$

答　汽车上、下山的平均速度为每小时行 40 千米.

想一想　如果假设上山或下山的时间，能不能求出汽车上、下山的平均速度？

随堂练习 3

（1）甲、乙两数的和为 176，如果加上丙数，这时三个数的平均数比甲、乙两数的平均数多 3，求丙数应是多少？

（2）小王爬山，上山的速度是每小时 2 千米，到达山顶后立即下山. 下山的速度是每小时 6 千米. 小王上、下山的平均速度是多少？

读一读

阿拉伯数字的历史误会

1，2，3，4，5，6，7，8，9，0 这十个数字，是我们在学数学的时候，在生活中，随时都可以看到的. 我们也管它们叫“阿拉伯数字”. 如果问起你为什么它要叫这个名字，你也许会毫不犹豫地说：“当然是因为它们是阿拉伯人发明的啦！”

不过，小朋友，你知道吗，“阿拉伯数字”其实并

不是阿拉伯人发明的，这是一个历史的误会. 其实，这些数字，在公元前三世纪的时候就已经被印度人确定和应用了.

阿拉伯人对数学研究作出了很多的历史贡献，而在当时，欧洲还正处在中世纪的时代，宗教思想占绝对的统治地位，科学研究得不到发展. 不过欧洲的一些学者们还是通过从阿拉伯传来的书籍中得到了科学知识. 通过这些书籍，欧洲人熟悉了几乎整个古代世界的数学创造，但在一开始的时候，却把它们全都当成了阿拉伯数学的成就. 他们把经过阿拉伯人改进的印度数字，也当成是阿拉伯数学家的发明，所以给它起了个名字，叫"阿拉伯数字".

后来，人们知道弄错了，但是"阿拉伯数字"这个名字已经叫开，而且成了习惯，改不过来了. 所以，我们现在还是叫它"阿拉伯数字".

练　习　题

1 化肥厂一月份的产量是 2100 吨，二月份的产量是 2400 吨，三月份比二月份多生产 300 吨，化肥厂一季度平均每个月生产化肥(　　)吨.

(A) 2100　　(B) 2400　　(C) 2700

2 电冰箱厂一季度生产电冰箱 42 万台，二季度生产电冰箱 48 万台，上半年平均每个月生产电冰箱________万台.

3 甲、乙两地的公路长 240 千米，一辆汽车从甲地开往乙地用了 4 小时，从乙地返回甲地用了 6 小时，这辆汽车往返甲、乙两地的平均速度是________千米/时.

4 小阳在期末考试时，语文得了 88 分，外语得了 95 分，在考数学前，他想争取三科的平均分至少为 93 分. 那么，他的数学成绩至少要得________分.

5 气象小组在某一天的 2 时、8 时、14 时、20 时测得温度分别是

15℃、17℃、26℃、18℃. 算出这一天的平均温度.

6 小宇先后参加了三次数学竞赛，前两次的平均成绩是 85 分，三次竞赛的平均成绩是 87 分，小宇第三次竞赛得了多少分?

7 甲、乙、丙三个数的平均数是 48，丁数是 64，求四个数的平均数是多少?

8 已知 9 个数的平均数是 72，去掉一个数后，余下数的平均数是 78. 去掉的数是多少?

9 5 个人轮流背两个行李包，走了 15 千米，问:平均每人背多少千米?

10 一个运动员进行爬山训练，从山脚出发，上山路长 15 千米，每小时行 3 千米;爬到山顶后沿原路下山，下山每小时行 5 千米. 这位运动员上山、下山的平均速度是多少?

11 某五个数的平均值为 60，若把其中一个数改为 80，平均值为 70，这个数应为多少?

12 一个人以每小时 4 千米的速度从山脚登上山顶，又以每小时 6 千米的速度从山顶按原路返回山脚. 在一个上、下的过程内平均速度是多少?

第14讲

平均数应用题(二)

平均数应用题的基本数量关系式是:

$$总数量 \div 总份数 = 平均数.$$

数学竞赛中出现的往往是较复杂的平均数应用题,其特点或者是总数量、总份数各由几个部分数合并而成,或者是几个求平均数的过程交织在一起,解答时要注意明确与某个平均数相联系的总数量、总份数到底是什么.

例1 四年级数学测验,第二小组同学的得分情况为:1人得98分,3人得92分,4人得86分,2人得76分.这个小组的平均成绩是多少?

分析 计算这个小组的平均成绩,按平均数的基本数量关系,求出总成绩与总人数即可.

解 $(98+92\times 3+86\times 4+76\times 2)\div(1+3+4+2)$

$=870\div 10=87$(分).

答 这个小组的平均成绩是87分.

例2 四(1)班18名男生的平均体重为36千克,12名女生的平均体重为38千克,那么这个班学生的平均体重为多少千克?

分析 根据男、女生的平均体重和人数,可先求出这个班全体学生的体重之和,然后再求全班学生的平均体重.

解 $(36\times18+38\times12)\div(18+12)$

$=1104\div30$

$=36.8$(千克).

答 这个班学生的平均体重为36.8千克.

随堂练习 1

(1) 一个食堂在四月份的前10天每天烧煤340千克,后20天中每天比原来节约30千克.这个月平均每天烧煤多少千克?

(2) 有30千克奶糖,每千克10元;50千克水果糖,每千克8元;还有20千克巧克力糖,每千克12元.营业员把这三种糖混合在一起,成为什锦糖,每千克多少元出售才不亏本?

例 3 有甲、乙、丙3个数,甲、乙两数的和是90,甲、丙两数的和是82,乙、丙两数的和是86.甲、乙、丙三个数的平均数是多少?

分析 由题目可以知道,$90+82+86$是两个甲、两个乙和两个丙的和,也就是甲、乙、丙三个数和的两倍.再除以2就得到甲、乙、丙三数的和,然后除以3,就是这三个数的平均数.

解 $(90+82+86)\div2=129$,

$129\div3=43$.

答 甲、乙、丙三个数的平均数是43.

说明 题中的有关条件可改变为:甲、乙的平均数为45,甲、丙的平均数为41,乙、丙的平均数为43,结论不变.

例 4 已知甲、乙、丙、丁四个数的平均数是10,甲、乙两数的平均数是8,求丙、丁两数的平均数.

分析 根据条件,可先求出甲、乙、丙、丁四个数的和,再由甲、乙两数的平均数是8,求出甲、乙两数的和,于是可进一步求出丙、丁两数的和及丙、丁两数的平均数.

解　$(10\times4-8\times2)\div2=24\div2=12.$

答　丙、丁两数的平均数是12.

随堂练习2

(1) 甲、乙、丙三个数中，甲、乙的平均数是30，乙、丙的平均数是36，甲、丙的平均数是33. 问：这三个数的平均数是多少？

(2) 有5个数的平均数是20，如果把其中的一个数改成4，这时候5个数的平均数是18. 问：改动的数原来是多少？

例5　王成期中考试语文、外语、自然的平均成绩是82分，数学成绩公布后，他的平均成绩提高了2分. 王成数学考了多少分？

分析　用四科的总分减去语文、外语、自然三科的总分，就可以求出数学的分数.

解

$$\begin{aligned}&(82+2)\times4-82\times3\\=&84\times4-82\times3\\=&336-246\\=&90(\text{分}).\end{aligned}$$

答　王成数学考了90分.

例6　寒假中，小荣兴致勃勃地读《少年百科全书》，第一天读了83页，第二天读了74页，第三天读了71页，第四天读了64页，第五天读的页数比五天的平均数还多3.2页，第五天读了多少页？

分析　前四天每天平均读的页数是$(83+74+71+64)\div4=73$(页)，第五天读的页数一定比73页多，第五天多读的3.2页，补足前4天每天少的页数，每天应加$3.2\div4=0.8$(页)，由此就知道第五天读的页数了.

解 $(83+74+71+64)\div 4=73$(页)，

$3.2\div 4=0.8$(页)，

$73+0.8+3.2=77$(页).

答 第五天读了 77 页.

随堂练习 3

(1) 如果数据 2, 3, x, 4 的平均数是 3,那么 x 是多少?

(2) 有甲、乙、丙三个数,甲比乙大 2,乙比丙大 11,且这三个数的平均数是 70,求这三个数.

(3) 某次数学考试,前 10 名同学的平均成绩是 87 分,前 8 名同学的平均成绩是 90 分,第 9 名比第 10 名多 2 分.问:第 10 名同学多少分?

读一读

天赋＋勤奋＝高斯的"天才"

高斯很早就展现出过人的才华,三岁时他就能指出父亲账册上的错误.但是,他父亲是个"大老粗",认为只有力气才能挣钱,学问这种东西对穷人是没有用的.所以,高斯一边读书,一边还要帮父亲干活.

高斯

高斯的老师去拜访高斯的父亲,要他让高斯接受更高的教育.但高斯的父亲太固执了,认为儿子应该像他一样,作个泥水匠,而且也没有钱让高斯继续读书.最后的结论是——去找有钱有势的人当高斯的赞助人,虽然他们不知道要到哪里找.经过这次的访问,高斯被免去了每天晚上织布的工作，每晚和老师讨论数学. 但不久之后，老师也没有什么东西可以教高斯的了.

1788 年高斯不顾父亲的反对进了高等学校，数学老师看了高斯的作业后就要他不必再上数学课.

高斯虽然有天赋，但他并没有就此骄傲，反而更加勤奋努力地工作，他对工作的痴迷，到了一种不可思议的程度. 当他的妻子病危的时候，他还在书房里埋头工作. 女仆突然急急忙忙地来找他："先生，如果您不马上过去，就不能见她最后一面了."高斯怎么回答的？他说："我马上就要结束这工作了，叫她再等一下，等到我过去."是不是让人看了既好笑又心酸呢？其实，高斯并不是不爱妻子，不过他还是最爱自己的工作，把工作看得比什么都重要.

人们一直把高斯的成功归功于他的"天才"，他自己却说："假如别人和我一样深刻和持续地思考数学真理，他们会有同样的发现."

练　习　题

一、填空题

1 若甲、乙两个数的平均数是 17，甲数等于 24，则乙数等于________.

2 四(2)班学生年龄分布的情况是：13 岁的有 3 人，12 岁的有 15 人，11 岁的有 11 人，10 岁的有 21 人. 这个班的平均年龄是________岁.

3 小燕子用 9 天时间读完一本书，她前 6 天每天读 25 页，后 3 天每天读 40 页，小燕子平均每天读________页.

4 已知甲、乙、丙三个数的平均数是 10，甲、乙、丙、丁四个数的平均数是 11，丁数是________.

5 每次考试满分是 100 分，小明 4 次考试的平均成绩是 89 分，为了使平均成绩尽快达到 94 分(或更多),他至少再要考________次.

6 有两组数,第一组数的平均数是 12.8,第二组数的平均数是 12.2,而这两组数总的平均数是 12.6,那么第一组数的个数除以第二组数的个数所得的商是________.

二、选择题

7 如果 a 与 b 的平均数是 6,那么 $a+1$ 与 $b+3$ 的平均数是( ).

(A) 4　　(B) 5　　(C) 6　　(D) 8

8 甲、乙、丙 3 个数的平均数是 150,甲数是 48,丙数与乙数相等,乙数是( ).

(A) 200　　(B) 200.5　　(C) 201　　(D) 201.5

9 两个数的平均数是 90,第三个数是 84,这三个数的平均数是( ).

(A) 86　　(B) 87　　(C) 88　　(D) 89

10 有四个不同的整数,它们的平均数是 13.75,三个大数的平均数是 15,三个小数的平均数是 12.如果第二大的数是奇数,那么它是( ).

(A) 17　　(B) 15　　(C) 13　　(D) 11

三、简答题

11 某公司在十月份上旬的前 4 天每天节约用水 280 吨,后 6 天每天节约用水 350 吨,问:十月上旬该公司平均每天节约用水多少吨?

12 赵、钱、孙三学生平均身高是 1.24 米,加上李,四人的平均身高为 1.25 米.李身高是多少米?

13 四(1)班共有学生 41 人,数学期中考试时有三位同学因病缺考,平均成绩是 80 分.后来这三位同学补考,成绩分别为：100 分、96 分和 85 分. 这时全班的平均成绩是多少？

14 已知甲、乙、丙、丁四个数的平均数是 15，甲数是 18，那么其他三个数的平均数是几？

15 某青年排球队 12 名队员的年龄情况如下：

年龄(单位:岁)	18	19	20	21	22
人数	1	4	3	2	2

则这 12 名队员的平均年龄是几岁？

第15讲

用枚举法解应用题

养鸡场的工人，小心翼翼地把鸡蛋从筐里一个一个往外拿，边拿边数，筐里的鸡蛋拿光了，有多少个鸡蛋也就数清了. 这种计数的方法就是枚举法. 一般地，根据问题要求，一一列举问题的解答，或者为了解决问题的方便，把问题分为不重复、不遗漏的有限种情况，一一列举各种情况，并加以解决，最终达到解决整个问题的目的. 这种分析问题、解决问题的方法，称之为枚举法.

运用枚举法解应用题时，必须注意无重复、无遗漏. 为此必须力求有次序、有规律地进行枚举.

例1 用数字 1，2，3 可以组成多少个不同的三位数？分别是哪几个数？

分析与解 根据百位上数字的不同，我们可将它们分成三类：

第 1 类：百位上的数字为 1，有 123，132；

第 2 类：百位上的数字为 2，有 213，231；

第 3 类：百位上的数字为 3，有 312，321.

所以可以组成 123，132，213，231，312，321，共 6 个三位数.

例2 小明有面值为 5 角、8 角的邮票各两枚，他用这些邮票能付多少种不同的邮资(寄信时，所需邮票的钱数)？

分析 我们可根据小明寄信时所用邮票枚数的多少，把它们分成四类.

解 第 1 类：用 1 枚邮票时有 5 角、8 角 2 种；

第 2 类：用 2 枚邮票时有 1 元、1 元 3 角、1 元 6 角 3 种；

第 3 类：用 3 枚邮票时有 1 元 8 角、2 元 1 角 2 种；

第 4 类：用 4 枚邮票时只有 2 元 6 角 1 种.

共有 $2+3+2+1=8$(种).

答 能付 8 种不同的邮资.

随堂练习 1

(1) 用[3]、[4]、[7]三张数字卡片，可以排成几个不同的三位数？其中最小的三位数是多少？最大的三位数是多少？

(2) 用 3 张 10 元和 2 张 50 元一共可以组成多少种币值(组成的钱数)？

例 3 用一台天平和重 1 克、3 克、9 克的砝码各一个(不再用其他物体当砝码)，当砝码只能放在同一盘内时，可称出不同的重量有多少种？

分析 共有三个重量各不相同的砝码，可以取出其中的一个、两个或三个来称不同的重量，一一列举这三种情况.

解 取一个砝码可称 1 克、3 克、9 克的重量，有 3 种；

取两个砝码可称：$1+3=4$(克)，$1+9=10$(克)，

$3+9=12$(克) 的重量，有 3 种；

取全部三个砝码可称：$1+3+9=13$(克) 的重量，有 1 种.

注意到 1，3，9，4，10，12，13 各不相同，故可称出不同的重量有 $3+3+1=7$(种).

说明 用树形图可以把解题过程显示出来.

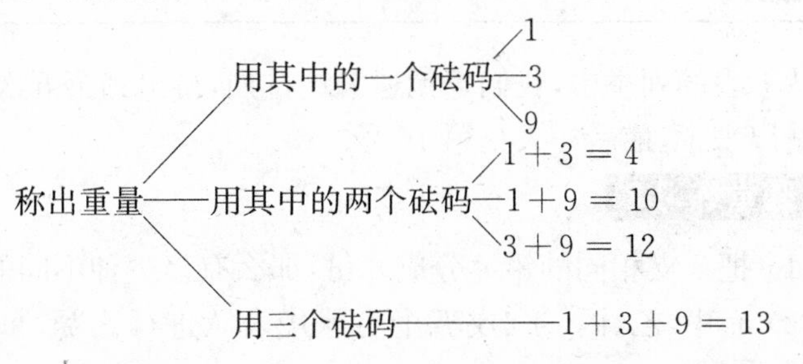

例 4 课外小组组织 30 人做游戏,按 1～30 号排队报数.第一次报数后,单号全部站出来;以后每次余下的人中第一个人开始站出来,隔一人站出来一人.到第几次这些人全部都站出来了?最后站出来的人应是第几号?

分析 根据题目的特点,先用排列法把题中的条件、问题排列出来,再用枚举法完成题目的要求.

条件:(1) 排队编号:

1, 2, 3, 4, 5, 6, 7, 8, 9, 10, 11, 12, 13, 14, 15, 16, 17, 18, 19, 20, 21, 22, 23, 24, 25, 26, 27, 28, 29, 30.

(2) 第一次报数后单号全部站出来.

(3) 以后每次:从余下的第一人站出来起,隔一人站出来一人.

问题:到第几次这些人全部都站出来了? 最后站出来的是第几号?

解

次 数	出 队 号 码
第一次	1, 3, 5, 7, 9, 11, 13, 15, 17, 19, 21, 23, 25, 27, 29
第二次	2, 6, 10, 14, 18, 22, 26, 30
第三次	4, 12, 20, 28
第四次	8, 24
第五次	16

从上表的列举中,我们毫无遗漏地排列,得出到第五次这些人全都站出来了,最后一人是第 16 号.

随堂练习 2

(1) 把 7 支相同的铅笔分成 3 份,那么有多少种不同的分法?

(2) 有甲、乙、丙、丁、戊五个足球代表队进行比赛,每个队都要和其他队赛一场,总共要赛多少场?

例 5 如图 15-1 所示,数字 1 处有一颗棋子,现移动这颗棋子到数字 5 处.规定每次只能移动到邻近的一格,且总是向右移动.例如 1→2→4→5 就是一条移动路线.问:共有多少种不同的移动路线?

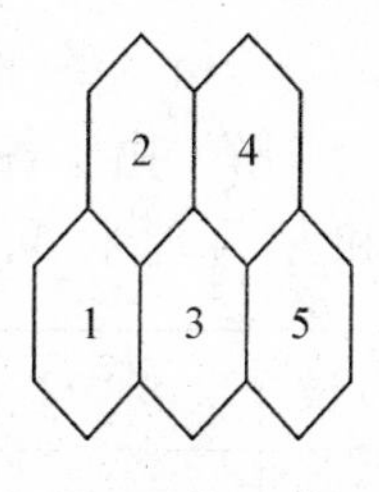

图 15-1

解法一 移动棋子,从 1 要移动到 5.对 1 来说,向右移动到邻近一格,有两种方法 1→2 或 1→3;对 2 来说,向右移动到邻近一格,也有两种方法 2→3 或 2→4……我们用树形图一步一步填写(如图 15-2).

数一数图 15-2 中 5 的个数就是移动的路线数.故共有 5 种移动路线.

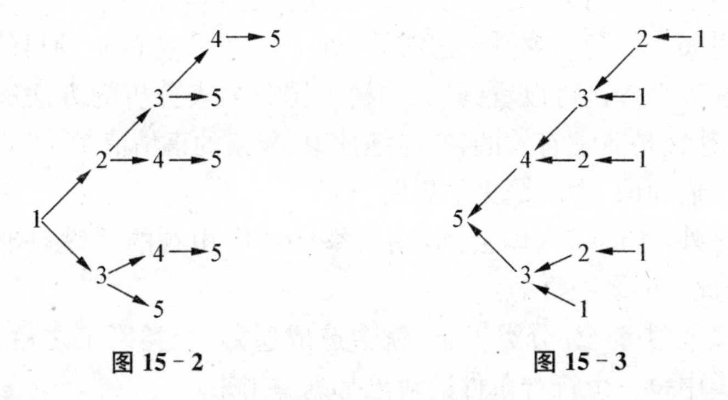

图 15-2　　图 15-3

解法二 从 1 要移到 5,从结果想,要移到 5,只有从 4、3 向右移动一格到邻近一格 5,即 5←4 或 5←3;要移到 4,只有从 3、2 向右移动一格到邻近一格 4,即 4←3 或 4←2……用树形图一步一步填写(如图 15-3).

数一数图 15-3 中 1 的个数就是移动的路线数.故共有 5 种不同的移动路线.

例 6 用长 48 厘米的铁丝围成各种长方形(长和宽都是整厘米数,且长和宽不相等),围成的最大一个长方形面积是多少平方厘米?

分析 各种长方形的长与宽之和都是 $48 \div 2 = 24$(厘米).

解 由于各种长方形的长、宽都是整厘米数,且不相等,并且和为 24 厘米,可以列表如下:

长	23	22	21	20	19	18	17	16	15	14	13
宽	1	2	3	4	5	6	7	8	9	10	11

因为 $23 \times 1 < 22 \times 2 < \cdots < 14 \times 10 < 13 \times 11$,所以符合条件的最大长方形的面积是 $13 \times 11 = 143$(平方厘米).

答 围成的最大一个长方形的面积是 143 平方厘米.

说明 此题用列举法思维,达到了快速、简捷的解题目的.

从以上各例可以看到,利用树形图或列表分析的方法解答应用题,往往是非常有效的,它能把抽象、复杂的事情清楚、直观地展现在我们面前,为解题提供思路.

另外,我们还应体会到,用枚举法解应用题的关键是准确分类,为此,必须注意两点:

1. 分类要全. 分类不全,就会造成遗漏. 分类确定之后,要把每一类中每一个符合条件的对象都列举出来.

2. 分类要清. 因为如果分不清,使第 1 类中有第 2 类、第 2 类中有第 3 类,互相包含,那么就会有重复. 这样结果也就很难正确了.

随堂练习 3

(1) 从 A 城到 B 城可乘火车、汽车、轮船;从 B 城到 C 城可乘火车、汽车、轮船、飞机. 某人从 A 城开始游览,经 B 城到 C 城共有多少种走法?

(2) A、B、C 三个自然数的乘积是 6，求 A、B、C 三个自然数分别可能是几？（A、B、C 可以是不同的数，也可以是相同的数）

读一读

最有魅力的 23 个问题

1900 年 8 月 8 日，在巴黎第二届国际数学家大会上，有个年轻的科学家正在演讲，大家都被他讲的内容深深吸引，安静地听他演讲，每个人的眼睛里都闪烁着激动的光芒. 当他结束演讲的时候，刚才还静悄悄的大厅里，顿时爆发出雷鸣般的掌声，这个轰动了全场的人是谁呢？他讲的是什么令人激动的内容呢？他就是德国的希尔伯特. 他提出了今后一百年里数学家应当努力解决的 23 个问题. 这就是著名的"希尔伯特 23 个问题".

希尔伯特

这个时候，希尔伯特心里的石头才落了地. 刚才，他还在担心自己演讲的内容听众会不会接受呢.

和下面的听众一样，希尔伯特也非常激动. 此时的他，心潮澎湃，看来，我选择这个伟大的演讲题目果然没有错！

原来，在来参加这次会议之前，希尔伯特一直在犹豫演讲的题目：是讲我自己的数学研究成果呢？还是讲一讲我对今后数学发展的看法呢？他写了一封信给自己的好朋友——数学家闵可夫斯基，征求他的意见. 闵可夫斯基回信写道："最有吸引力的题材莫过于展望数学的未来……这样的题材，将会使你的演讲在今后几十年里成为人们议论的话题."

这样，希尔伯特就下定决心了，他整理了自己的看法，一共提出了 23 个问题.

从那以后，全世界几乎所有的数学家，都被他的23个问题吸引，这23个问题成为20世纪数学学科发展的缩影. 著名的“哥德巴赫猜想”就是第8个问题中的一部分. 对这些问题的研究有力地推动了20世纪数学的发展.

难怪有人说：“希尔伯特就像风笛手，他那甜蜜的笛声诱惑了如此众多的老鼠，跟着他跳进了数学的深河.”今天，我们似乎还能听到那甜蜜笛声的召唤呢！

练习题

一、填空题

1 从甲地到乙地有2条路可走，由乙地到丙地有3条路可走，那么由甲地经乙地到丙地共有______条路可走.

2 有4个足球队参加“希望杯”足球比赛，每两个队都必须比赛一场，共比赛______场；如果进行淘汰赛，最后决出冠军共需比赛______场.

3 甲、乙、丙、丁站成一排照相，但甲必须站在两头，共有______种不同的排法.

4 从3，6，7，8这四张数字卡片中，任取3张，排成三位数，能排成______个不同的三位数，最大的三位数是______，最小的三位数是______.

5 从两张5元币、五张2元币、十张1元币中，拿出10元钱买钢笔，一共有______种不同的拿法.

6 用1，0，3，5这四个数可以组成______个四位数.

二、选择题

7 有7张卡片上写着数字2，3，4，5，6，7，8，从中抽出两张，组成的所有的两位数是奇数的个数是(　　).

(A) 21　　(B) 42　　(C) 24　　(D) 18

8 两人见面要握一次手，照这样规定，6 人见面共握手(　　).

(A) 24 次　　(B) 15 次　　(C) 30 次　　(D) 12 次

9 有红、黄、蓝色的小旗各 1 面，从中选用 1 面、2 面或 3 面升上旗杆，组合出各种不同信号，一共可以组合不同信号(　　).

(A) 5 种　　(B) 6 种　　(C) 10 种　　(D) 15 种

10 已知三位数的各位数字之和等于 8，那么这样的三位数共有(　　).

(A) 28 个　　(B) 30 个　　(C) 32 个　　(D) 36 个

三、简答题

11 有四张 8 角邮票与三张 1 元邮票，用这些邮票中的一张或若干张能得出多少种不同的邮资？

12 已知三个自然数的积等于 12，这三个自然数分别是多少？

13 现有 1 克、2 克、3 克重的天平砝码，要用 10 个砝码称出重 20 克的物体.

(1) 在取出的砝码中，1 克重的有 3 个，那么 3 克重的砝码应有多少个？

(2) 如果任一种砝码至少取一个，那么除情况(1)外，取出的砝码还有哪几种情况？

14 某食堂的菜单如下：

汤　类：A. 鸡蛋汤；B. 三鲜汤.

菜　类：C. 炒肉丝；D. 红烧猪肉；E. 炒青菜.

饮料类：(1)高橙；(2)健力宝；(3)葡萄酒.

每顿饭若只能各类选一种，试问：

(1) 可以有多少种不同的选购方法？

(2) 请写出这些选购菜单.

第16讲

行船问题

行船问题和行程问题一样，也有路程、速度与时间之间的数量关系，同时还涉及水流的问题.

行船问题中常用的概念有：船速、水速、顺水速度和逆水速度. 船在静水中航行的速度叫船速；江河水流动的速度叫水速；船从上游向下游顺水而行的速度叫顺水速度；船从下游逆水而行的速度叫逆水速度.

各种速度之间的关系：

顺水速度＝船速＋水速

逆水速度＝船速－水速

(顺水速度＋逆水速度)÷2＝船速

(顺水速度－逆水速度)÷2＝水速

例1 甲、乙两港间的水路长 252 千米，一只船从甲港开往乙港，顺水 9 小时到达，从乙港返回甲港，逆水 14 小时到达. 求船在静水中的速度和水流速度.

分析 根据题意，要想求出船速和水速，可按行程问题中一般数量关系，用路程分别除以顺水、逆水所行时间求出顺水速度和逆水速度，再根据上面的基本数量关系求出船速和水速.

解 顺水速度为

$$252 \div 9 = 28(\text{千米}/\text{时}),$$

逆水速度为

$$252 \div 14 = 18(千米/时),$$

船速为

$$(28 + 18) \div 2 = 23(千米/时),$$

水速为

$$(28 - 18) \div 2 = 5(千米/时).$$

答 船在静水中的速度为每小时23千米，水流速度为每小时5千米.

例2 轮船在静水中的速度是每小时21千米，轮船自甲港逆水航行8小时，到达相距144千米的乙港，再从乙港返回甲港需要多少小时?

分析 要求轮船从乙港返回甲港所需的时间，即轮船顺水航行144千米所需时间，就要求出顺水航行的速度，现在知道轮船在静水中的速度，只需求出水流速度.

根据已知，可先求逆水速度，再根据逆水速度与船速、水速的关系即可求出水速.

解 水流速度为

$$21 - 144 \div 8 = 21 - 18 = 3(千米/时),$$

顺水速度为

$$21 + 3 = 24(千米/时),$$

所求时间为

$$144 \div 24 = 6(时).$$

答 轮船从甲港返回乙港需6小时.

随堂练习1

(1) 一艘轮船在静水中的速度是每小时15千米，它逆水航行

88 千米用了 11 小时.问:这艘船返回原地需用几小时?

(2) 一艘船往返于一段长 120 千米的航道,上行时用了 10 小时,下行时用了 6 小时,船在静水中航行的速度与水速各是多少?

例3 一艘轮船从甲港开往乙港,顺水而行每小时行 28 千米,返回甲港时逆水而行用了 6 小时.已知水速是每小时 4 千米,甲、乙两港相距多少千米?

分析 顺水而行每小时行 28 千米,即顺水速度是每小时 28 千米.根据顺水速度与水速,可以求出船速和逆水速度,最后再求出甲、乙两港的距离.

解 船速为

$$28-4=24(\text{千米}/\text{时}),$$

逆水速度为

$$24-4=20(\text{千米}/\text{时}),$$

所求距离为

$$20\times 6=120(\text{千米}).$$

答 甲、乙两港相距 120 千米.

例4 一条大河,河中间(主航道)水的流速为每小时 8 千米,沿岸边水的流速为每小时 6 千米,一条船在河中间顺流而下,13 小时行驶 520 千米.求这条船沿岸边返回原地,需要多少小时?

分析 返回来是逆流而上,又知总路程是 520 千米,应该先把逆水速度求出来,所需的时间就可以求出来了.

解 河中间行驶,顺水速度为

$$520\div 13=40(\text{千米}/\text{时}),$$

所以船速为

$$40 - 8 = 32(\text{千米}/\text{时}),$$

因此沿岸边行驶逆水速度为

$$32 - 6 = 26(\text{千米}/\text{时}),$$

沿岸边返回原地需要的时间为

$$520 \div 26 = 20(\text{时}).$$

答 这条船沿岸边返回原地，需要20小时.

随堂练习2

(1) 两港口相距432千米，轮船顺水行这段路程需要16小时，逆水每小时比顺水少行9千米，问：行驶这段路程逆水比顺水多用几个小时？

(2) 一艘轮船往返于相距198千米的甲、乙两个码头，已知这水路的水速是每小时2千米，从甲码头到乙码头顺流而下需要9小时，这艘船往返于甲、乙两码头共需几小时？

例5 甲、乙两个码头相距112千米，一只船从乙码头逆水而上，行了8小时到达甲码头. 已知船速是水速的15倍，这只船从甲码头返回乙码头需要几小时？

分析 根据两个码头之间的距离与乙码头到甲码头逆水行8小时，可以求出这艘船的逆水速度. 逆水速度等于船速减去水速，已知船速是水速的15倍，则船速与水速相差了(15－1)倍，说明逆水速度刚好相当于水速的(15－1)倍，因此，可以求出水速. 根据逆水速度与水速，又可求出顺水速度.

解 逆水速度为

$$112 \div 8 = 14(\text{千米}/\text{时}),$$

水速为

$$14 \div (15 - 1) = 1(\text{千米}/\text{时}),$$

顺水速度为

$$14+1\times2=16(\text{千米}/\text{时}),$$

顺水而下用的时间为

$$112\div16=7(\text{时}).$$

答 这艘船从甲码头返回乙码头需要 7 小时.

说明 顺水速度=逆水速度+水速×2.

例 6 一艘轮船往返于相距 240 千米的甲、乙两港之间,逆水速度是每小时 18 千米,顺水的速度是每小时 26 千米.一艘汽艇的速度是每小时 20 千米,这艘汽艇往返于两港之间共需多少小时?

分析 已知甲、乙两港相距 240 千米,要求这艘汽艇往返于两港之间所需的时间,需要求出这艘汽艇的顺水速度与逆水速度,而解决问题的关键是要求出这段航程的水速.

解 水速为

$$(26-18)\div2=4(\text{千米}/\text{时}),$$

汽艇的顺水速度为

$$20+4=24(\text{千米}/\text{时}),$$

汽艇的逆水速度为

$$20-4=16(\text{千米}/\text{时}),$$

汽艇顺流用的时间为

$$240\div24=10(\text{时}),$$

汽艇逆流用的时间为

$$240\div16=15(\text{时}),$$

汽艇往返共用的时间为

$$10 + 15 = 25(\text{时}).$$

答 这艘汽艇往返于两港之间共需 25 小时.

随堂练习 3

(1) 甲、乙两港相距 90 千米，一艘轮船顺流而下要 6 小时，逆流而上要 10 小时. 如果一艘汽艇顺流而下要 5 小时，那么这艘汽艇逆流而上需要几小时？

(2) 静水中甲、乙两船的速度分别是每小时 22 千米和每小时 18 千米，两船先后自港口顺水开出，乙比甲早出发 2 小时. 若水速是每小时 4 千米，问：甲开出后几小时可追上乙？

读一读

为什么每月的天数不一样

小朋友，我们都知道一年有三百六十五天，十二个月. 可是每个月的天数都不一样，有 31 天的，有 30 天的，而 2 月更是有的时候是 28 天，有的时候是 29 天，这是怎么回事呢？这得从古代的罗马说起.

在古罗马，有一位叫儒略·恺撒的有名的统帅，他主持制定了历法. 因为他自己是生于七月的，为了表示自己的伟大，他就决定把 7 月改叫“儒略月”；而连同其他和 7 月一样的单月，都定为 31 天，双月就定为 30 天. 而如果这样算的话，一年就有 366 天了，和地球绕太阳一周的时间不一样，历法就不准确了.因为2月是古罗马处决犯人的月份,恺撒为了表示自己的"仁慈",就下令把2月减少了一天,这样就能减少处死的人数了.这样,2月就有29天,而在闰年的时候则是30天.

恺撒死后,他的继承人叫奥古斯都,他在这上面也学着恺撒的样子.因为他自己是生在8月的,他就把8月叫"奥古斯都月",还把原来8月的30天加了1天,又把10月、12月也都改成了31天,这样一来一年就又多出三天了,所以他又把9月和11月都改成了30天,再又从2月里减了1天,这样一来2月又变成了28天了,只有闰年的时候才有29天.

所以,我们现在的1、3、5、7、8、10、12月是31天,4、6、9、11月是30天,而2月,有时候是28天,有时候是29天.

练　习　题

一、填空题

1 一艘客轮每小时行驶27千米,在大河中顺水航行160千米,每小时水速5千米,需要航行________小时.

2 "燕山"号客轮从甲地到乙地,已知甲、乙两地相距270千米,客轮从甲地顺水以每小时27千米的速度航行到乙地要用9小时,这样水速是每小时________千米.

3 一艘货轮每小时行驶25千米,大河中水速为每小时5千米,在大河中逆水航行7小时,能行驶________千米.

4 大沙河上、下游相距90千米,每天定时有甲、乙两艘船速相同的客轮从上、下游同时出发,面对面行驶,假定这两艘客轮的船速都是每小时25千米,水速是每小时5千米,则两艘客轮在出发后________小时相遇.

5 一只小船以每小时30千米的速度在176千米长的河中逆水而行,用了11个小时,那么,返回原处要用________小时.

6 船在静水中的速度是每小时25千米，河水流速为每小时5千米，若两港相距120千米，则船往返甲、乙两港共花了________小时.

二、选择题

7 A、B两港相距140千米，一艘客轮在两港间航行. 顺流用去7小时，逆流用去10小时，则轮船的船速和水速每小时分别是(　　).

(A) 19千米，1千米　　(B) 18千米，2千米

(C) 17千米，3千米　　(D) 16千米，4千米

8 甲、乙两船在静水中的速度分别为每小时36千米和每小时28千米，今从相隔192千米的两港同时相对行驶，甲船逆水而上，乙船顺水而下，那么(　　)小时后两船相遇.

(A) 4　　(B) 3

(C) 2.5　　(D) 3.5

9 两码头相距231千米，轮船顺水行驶这段路程需要11小时，逆水比顺水每小时少行10千米，那么行驶这段路程逆水比顺水需要多用(　　).

(A) 11小时　　(B) 21小时

(C) 12小时　　(D) 10小时

10 甲船逆水航行360千米需18小时，返回原地需10小时，乙船逆水航行同样一段距离需15小时，返回原地需(　　).

(A) 8小时　　(B) 9小时

(C) 10小时　　(D) 11小时

三、简答题

11 一艘轮船每小时行15千米，它逆水6小时行了72千米，如果它顺水行驶同样长的航程需要多少小时?

12 甲、乙两港间的水路长208千米，一只船从甲港开往乙港，顺

水 8 小时到达，从乙港返回甲港，逆水 13 小时到达．求船在静水中的速度和水速各是多少？

13 一艘轮船从甲港开往乙港，顺水而行每小时行 28 千米，返回甲港时逆水而行用了 6 小时．已知水速是每小时 4 千米，甲、乙两港相距多少千米？

14 已知一艘轮船顺水行 48 千米需 4 小时，逆水行 48 千米需 6 小时．现在轮船从上游 A 港到下游 B 港，已知两港间的水路长为 72 千米，开船时一旅客从窗口扔到水里一块木板，问：船到 B 港时，木块离 B 港还有多远？

第 17 讲

过桥问题

“火车过桥”问题是行程问题中的一种情况. 桥是静止的，火车是运动的，火车通过大桥，是指车头上桥到车尾离桥. 如图 17－1，假设某人站在火车头的 A 点处，当火车通过桥时，A 点实际运动的路程就是火车运动的总路程，即车长与桥长的和.

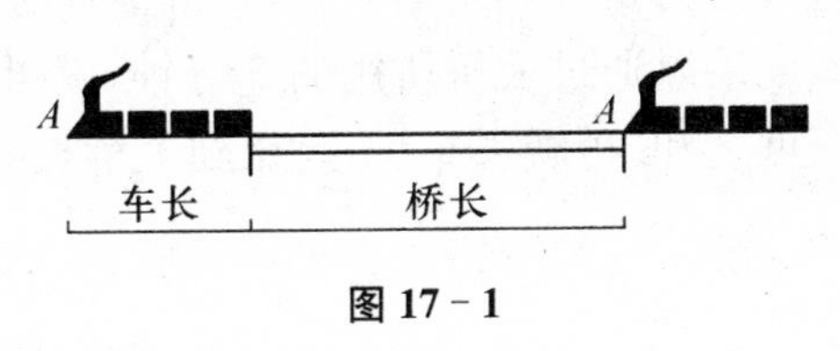

图 17－1

“火车过桥”问题的特点是动对静，有些题目由于比较物与被比较物的不同，可能不容易想出运动过程中的数量关系，同学们可利用身边的文具，如铅笔、文具盒、尺子等，根据题意进行动力操作，使问题具体化、形象化，从而找出其中的数量关系.

解题中用到的基本数量关系仍然是：

速度 × 时间 ＝ 路程
路程 ÷ 速度 ＝ 时间
路程 ÷ 时间 ＝ 速度

例 1 火车长 108 米，每秒行 12 米，经过长 48 米的桥，要多少时间?

分析 火车通过大桥，运行的总路程为火车的车长与桥长的和. 根据路程 ÷ 速度 ＝ 时间，可以求出火车经过桥面所运行的时间.

解 $(108+48)\div 12=13$(秒).

答 火车经过桥面要13秒钟.

例2 小芳站在铁路边,一列火车从她身边开过用了2分钟,已知这列火车长360米,以同样的速度通过一座大桥,用了6分钟.这座大桥长多少米?

分析 因为小芳站在铁路边不动,所以,这列火车从她身边开过所行的路程就是车长,这样就很容易求出火车的速度.用火车的速度乘以通过大桥所用的6分钟,就可以求出火车的长度与桥的长度之和.再减去车长,就得到了桥长.

解
$$\begin{aligned}360\div 2\times 6-360&=180\times 6-360\\&=1080-360\\&=720(\text{米}).\end{aligned}$$

答 这座大桥长720米.

随堂练习1

(1) 长150米的火车以每秒18米的速度穿越一条300米的隧道.问:火车穿越隧道(进入隧道直至完全离开)要多少时间?

(2) 301次列车通过450米长的铁桥用了23秒,经过一位站在铁路边的扳道工人用了8秒.问:列车的速度和长度各是多少?

例3 一列火车通过一条长1260米的桥梁(车头上桥直至车尾离开桥)用了60秒,火车穿越长2010米的隧道用了90秒.问:这列火车的车速和车身长?

分析 画出示意图17-2.

从图17-2可以看出隧道比桥多 $2010-1260=750$(米),火

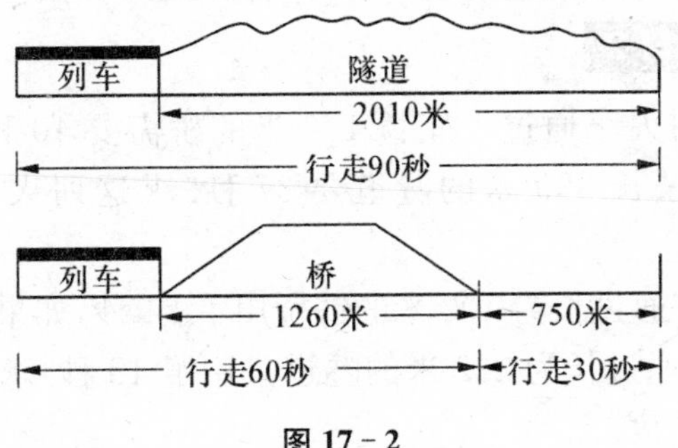

图 17－2

车行走要多用 90－60＝30(秒)，因此火车的速度就可求得.

解 火车的速度为

$$(2010-1260)\div(90-60)=25(\text{米}/\text{秒}),$$

火车的长度为

$$25\times60-1260=240(\text{米}).$$

答 火车的速度是 25 米/秒，长度是 240 米.

例 4 火车通过长为 82 米的铁桥用了 22 秒，如果火车的速度加快 1 倍，它通过 162 米铁桥就用 16 秒. 求火车原来的速度和它的长度.

分析 假设用原来的速度通过 162 米的铁桥，那么火车要用 $16\times2=32$(秒)，这样就将问题转化为类似于例 3 的问题.

解 火车原来的速度为

$$(162-82)\div(32-22)=8(\text{米}/\text{秒}),$$

火车长为

$$8\times22-82=94(\text{米}).$$

答　火车原来的速度是 8 米/秒，长度是 94 米.

随堂练习 2

(1) 一列火车通过一座长 456 米的桥需要 40 秒，用同样的速度通过一条长 399 米的隧道要 37 秒. 求这列火车的速度和长度.

(2) 火车通过长为 102 米的铁桥用了 24 秒，如果火车的速度加快 1 倍，它通过长为 222 米的隧道只用了 18 秒. 求火车原来的速度和它的长度.

例 5　少先队员 346 人排成两路纵队去参观画展，队伍行进的速度是 23 米/分，前后两人都相距 1 米. 现在队伍要通过一座长 702 米的桥，整个队伍从上桥到离桥共需几分钟?

分析　把整个队伍的长度看作"车长"，先求出"车长". 因为每路纵队有 $346 \div 2 = 173$(人)，前后两人都相距 1 米，所以，整个队伍的长度是 $1 \times (173 - 1) = 172$(米). "车长"求出后，就可以求出过桥的时间了.

解
$$1 \times (346 \div 2 - 1) = 172(\text{米}),$$
$$(702 + 172) \div 23 = 38(\text{分}).$$

答　整个队伍从上桥到离桥共需 38 分钟.

随堂练习 3

(1) 公路两边的电线杆间隔都是 30 米，一位乘客坐在运行的汽车中，他从看到第 1 根电线杆到看到第 26 根电线杆正好是 3 分钟. 这辆汽车每小时行多少千米?

(2) 一列火车长 400 米，铁路沿线的电线杆间隔都是 40 米，这列火车从车头到达第 1 根电线杆到车尾离开第 51 根电线杆用了 2 分钟. 这列火车每小时行多少千米?

读一读

“0”表示什么？

希腊科学家艾诺曾用“0”比喻说：圆圈内是掌握的知识，圆圈外是浩瀚无边的世界.

“0”比其他一切数都有更丰富的内容.

表示物体个数时，一个物体也没有就用“0”表示.

“0”也可以表示电台、电视台播报天气预报时所说的气温，“0℃”并不是指没有温度.

“0”还可以表示起点，直尺上的刻度，条形统计图上的0点，发射导弹时的口令等.

“0”还可以表示精确度，将2.1精确到小数点后第三位为2.100.

同学们，你知道“0”还可以表示什么吗？和你们班的同学交流一下吧.

练　习　题

一、填空题

1 一列火车长360米，每秒钟行15米，全车通过一个山洞需40秒. 这个山洞长________米.

2 一列火车长400米，以每分钟800米的速度通过一座长为2800米的大桥，共需________分钟.

3 一列火车经过一根有信号灯的电线杆用了9秒，通过一座468米长的铁桥用了35秒. 这列火车长________米.

4 一列火车，从车头到达桥头算起，用8秒全部驶上一座大桥，29秒后全部驶离大桥. 已知大桥长546米，火车全长是________米.

5 长 135 米的列车,以 12 米/秒的速度行驶,对面开来长 126 米的另一列车,速度是 17 米/秒,那么两列火车从碰上到全错开用了________秒.

6 铁路沿线的电线杆间隔都是 40 米,一位旅客坐在运行的火车中,他从看到第 1 根电线杆到看到第 51 根电线杆正好是 2 分钟.火车每小时行________千米.

二、选择题

7 某列车通过 360 米的第一个隧道用去 24 秒,接着通过第二个长 216 米的隧道用去 16 秒.这个列车的车长是(　　).

(A) 72 米　　(B) 24 米　　(C) 144 米　　(D) 96 米

8 两列火车相向而行,甲车每小时行 50 千米,乙车每小时行 58 千米,两车交错时,甲车上一乘客从看见乙车的车头到车尾一共经过 10 秒钟,乙车全长为(　　).

(A) 108 米　　(B) 300 米　　(C) 360 米　　(D) 1080 米

三、简答题

9 小张以 3 米/秒的速度沿着铁路跑步,迎面开来一列长 147 米的火车,它的行驶速度是 18 米/秒.问:火车经过小张身旁的时间是多少?

10 一列火车通过 297 米长的停车场,需 42 秒钟,过 216 米长的大桥需 33 秒钟.求:(1)车速;(2)车长.

11 某小学三、四年级学生 528 人排成四路纵队去看电影,队伍行进的速度是每分钟 25 米,前后两人都相距 1 米.现在队伍要走过一座桥,整个队伍从上桥到离桥共需 16 分钟.这座桥长多少米?

第18讲

盈亏问题

“幼儿园老师给小朋友分糖果，每个小朋友分5颗糖果，就多出22颗糖果；每个小朋友分7颗糖果，就少18颗糖果.有多少个小朋友和多少颗糖果？”

像这样以份数平均分一定数量的物品，每份少一些，则物品有余(盈)；每份多一些，则物品不足(亏).凡是研究这一类算法的应用题叫做盈亏问题.

盈亏问题的基本解法是：

份　　数 = (盈 + 亏) ÷ 两次分配数的差；

物品总数 = 每份个数 × 份数 + 盈数，

或　　物品总数 = 每份个数 × 份数 − 亏数.

例1 幼儿园老师给小朋友分糖果，每个小朋友分5颗糖果，就多出22颗糖果；每个小朋友分7颗糖果，就少18颗糖果.有多少个小朋友和多少颗糖果？

分析　糖果的总颗数(物品数)与小朋友的人数(份数)是不变的.如果每人5颗，剩余22颗；如果每人多分(7−5)颗，少18颗.这里，由于第二次比第一次每人多分了2颗，所以两次分得的结果相差了(22+18)颗.这样，(22+18)÷(7−5)就是小朋友的人数.

解　小朋友的人数为

$$(22 + 18) \div (7 - 5) = 40 \div 2 = 20(\text{个}).$$

糖果总数为

$$5\times 20+22=122(\text{颗}),$$

或
$$7\times 20-18=122(\text{颗}).$$

答 有20个小朋友和122颗糖果.

例2 某校安排学生宿舍，如果每间5人，则有14人没有床位；如果每间7人，则多4个空床位.问：宿舍有几间？住宿学生有几人？

分析一 我们可先分析两次安排学生宿舍的情况，第一次有14人没有床位，第二次又多4个床位，两次相差 $14+4=18$(人)，由于第二次安排学生宿舍每间比第一次多出2人，因此，宿舍数为 $18\div 2=9$(间)，由此就可求出住宿学生人数.

解法一 宿舍间数为

$$(14+4)\div(7-5)=18\div 2=9(\text{间}).$$

可住学生数为

$$5\times 9+14=59(\text{人}),$$

或
$$7\times 9-4=59(\text{人}).$$

答 有学生宿舍9间，住宿学生59人.

分析二 题目中有"学生宿舍"和"住宿人数"两个未知量，可设学生宿舍为 x 间，以学生人数为等量列出等式，这样可以用简易方程求解.

解法二 设学生宿舍有 x 间，按题意得

$$5x+14=7x-4,$$
$$7x-5x=14+4,$$
$$2x=18,$$
$$x=9,$$
$$5x+14=5\times 9+14=59(\text{人}).$$

答　有学生宿舍 9 间,住宿学生 59 人.

说明　本题两种解法,都能使问题轻松获解.

随堂练习 1

(1) 参加团体操的同学排队,如果每行站 9 人,则多 37 人;而每行站 12 人,则少 20 人.求参加团体操的同学有多少人?

(2) 用一根绳子绕树三圈,余 3 米;如果绕树四圈,则差 4 米.树周长有几米?绳长有几米?

例 3　人民路小学三、四、五年级的同学乘汽车去春游,如果每车坐 45 人,有 10 人不能坐车;如果每车多坐 5 人,又多出一辆汽车.一共有多少辆汽车?有多少名同学去春游?

分析　每车多坐 5 人,多出一辆汽车,说明每车多坐 5 人,还差(45+5)人,也就是如果每车坐 45 人,剩余 10 人不能坐车,如果每车坐(45+5)人,又少了(45+5)人,两次乘车的人数相差了(45+5+10)人,是因为每辆车上多坐了 5 人.那么,(45+5+10)里有几个 5,就有几辆汽车.因此,可求出汽车的辆数.

解　汽车数量为

$$(45+5+10)\div 5=60\div 5=12(\text{辆}).$$

去春游的同学总数为

$$45\times 12+10=550(\text{名}).$$

答　一共有 12 辆汽车,有 550 名同学去春游.

例 4　动物园为猴山的猴买来桃,这些桃如果每只猴分 5 个,还剩 32 个;如果其中 10 只小猴分 4 个,其余的猴分 8 个,就恰好分完.问:猴山有猴多少只?共买来多少个桃?

分析　根据观察对应数量关系的变化寻找答案的解题思路,首先需要把条件"如果其中 10 只小猴分 4 个,其余的猴分 8 个,就恰好分完.”转化成:如果每只猴都分 8 个就少$(8-4)\times 10=40$(个),然后按盈亏问题来求解.

解 每只猴都分 8 个,所缺桃子数为

$$(8-4)\times 10=40(\text{个}),$$

猴子总数为

$$(40+32)\div(8-5)=24(\text{只}),$$

桃子总数为

$$5\times 24+32=152(\text{个}).$$

答 猴山有猴 24 只,共买来桃 152 个.

随堂练习 2

(1) 全班同学去划船,如果减少一条船,每条船正好坐 9 人;如果增加一条船,每条船正好坐 6 人.全班共有多少人?

(2) 华中路第一小学组织学生去春游,如果每车坐 65 人,则有 15 人不能乘车;如果每车多坐 5 人,恰好多余了一辆.一共有几辆汽车?有多少学生?

例 5 学校组织同学乘车去科技馆参观,原计划每车坐 30 人,还剩下 1 个人;后来又临时增加了 100 人,汽车却比原来少 1 辆;这样每辆车要坐 36 人,还剩 5 个人.原计划乘坐几辆车?原计划去多少人?

分析 如果第一次也增加 100 人,还减少 1 辆车,每车仍坐 30 人,则剩 $100+30+1=131$(人).

解 $(100+30+1-5)\div(36-30)=21$(辆),

$$21+1=22(\text{辆}),$$
$$30\times 22+1=661(\text{人}).$$

答 原计划乘坐 22 辆车,原计划去 661 人.

说明 经常解这类题可以培养我们的分析、判断能力.

例 6 果树专业队上山植果树,所需栽的苹果树苗是梨树苗的 2 倍. 如果梨树苗每人栽 3 棵,还余 2 棵;苹果树苗每人栽 7 棵,则少 6 棵. 问:果树专业队上山植树的有多少人? 要栽多少棵苹果树和梨树?

分析 由于题中的盈亏分别指的是梨树和苹果树,且两种树苗数量不同,所以,必须将条件转化成同种树苗的盈亏问题. 根据"苹果树苗是梨树苗的 2 倍"这个条件,假设苹果树苗按每人种梨树苗的 2 倍去栽,即每人栽苹果树苗 $3\times2=6$(棵)会余几棵呢? 不难知道,同样会余梨树苗余数的两倍,即 $2\times2=4$(棵). 这样,我们就将原题条件转化成"苹果树每人栽 6 棵,余 4 棵;每人栽 7 棵要少 6 棵",就可根据盈亏问题,求出植树的人数,进而求出苹果树苗和梨树苗的棵数.

解 上山植树人数为

$$(2\times2+6)\div(7-3\times2)=10(\text{人}),$$

苹果树苗的棵数为

$$7\times10-6=64(\text{棵}),$$

梨树苗的棵数为

$$64\div2=32(\text{棵}),$$

或

$$3\times10+2=32(\text{棵}).$$

答 上山植树共有 10 人,要栽苹果树苗 64 棵,梨树苗 32 棵.

说明 解盈亏问题,常常通过比较法,解题时要注意:

(1) 要认真审题,仔细分析,确认用"盈亏总额÷两次分配数之差"得到的是题目中的哪个量,不能张冠李戴;

(2) 两种分配方案不一定总是一盈一亏,还可能是两次都盈,两次都亏,一个不盈不亏,另一个盈或亏等情况.

随堂练习3

(1) 农民种树,其中有3人分得树苗各4棵,其余的每人分得3棵,这样最后余下树苗11棵;如果1人先分得3棵,其余的每人分得5棵,则树苗恰好分尽.求人数和树苗的总数.

(2) 学校买来一些篮球和排球分给各班,买来的排球个数是篮球的2倍,如果篮球每班分2个,多余4个;如果排球每班分5个,则少2个.学校买来篮球和排球各多少个?

读一读

黎曼的故事

黎曼于1926年出生在德国的一个农村,19岁到格丁根大学读书,成为高斯晚年的一名高材生.黎曼的一生是短暂的,不到40个年头,但他工作的优异和深刻的洞察力令人惊叹!我们之所以要介绍黎曼,是因为尽管牛顿和莱布尼兹发现了微积分,并且给出了微积分的论述,但目前教科书中有关微积分的现代化定义是由黎曼给出的.为了纪念他,人们就把微积分称为"黎曼积分".

练　习　题

一、填空题

1 学校分配宿舍,每个房间住3人,则多出20人;每个房间住5人,恰巧安排好.则房间有________间.

2 学校买来一批故事书,每班发16本,多10本;每班发18本,少6本.则买来故事书的本数为________.

3 一小包糖分给几个小朋友,如果每人分3块,则余3块;如果每人分5块,则少7块.那么小朋友有________个.

4 某数的 5 倍减去 41,则比其 3 倍多 19,这个数是________.

5 儿童分玩具,每人 6 个则多 12 个;每人 8 个,有一人没有分到. 儿童有________人,玩具有________个.

6 老师给幼儿园的小朋友分苹果,如果每位小朋友分 2 个,还多 30 个;如果其中的 12 位小朋友每人分 3 个,剩下的每人分 4 个,正好分完. 一共有________位小朋友,有________个苹果.

二、选择题

7 学校给参加夏令营的同学租了几辆大轿车,如果每辆轿车乘 28 人则有 13 名同学上不了车;如果每辆车乘 32 人,则还有 3 个空座. 一共有同学(   ).

(A) 100 名　　(B) 143 名

(C) 125 名　　(D) 137 名

8 学校给新生安排宿舍,如果按 7 人一间安排(刚好住满)要比按 8 人一间安排(也刚好住满)多用两间宿舍. 一共有新生(   ).

(A) 110 名　　(B) 111 名

(C) 123 名　　(D) 112 名

9 全班同学站队排成若干行,如果每行 14 人则多 5 人;如果每行 17 人则少 4 人. 那么排成的行数是(   ).

(A) 4　　(B) 5

(C) 3　　(D) 2

10 苹果个数是梨子的 2 倍,梨子每人分 3 个,余 2 个;苹果每人分 7 个,少 6 个. 那么人数、苹果数和梨数分别是(   ).

(A) 10, 64, 32　　(B) 12, 62, 31

(C) 9, 54, 27　　(D) 13, 68, 34

三、简答题

11 四年级同学参加植树活动,如果每班种 10 棵,还剩 6 棵树苗;

如果剩下的每班再种 2 棵，就少 4 棵树苗. 四年级一共植树多少棵？

12 同学们到阶梯教室听科技报告，如每张长椅坐 8 人，则剩下 50 人没有座位；如果每张长椅上坐 12 人，则空出 10 个座位. 如果每张长椅上坐 7 人，还剩下多少学生无座位？

13 某商店从深圳运来一批水果，运费花了 1000 元，水果报损了 100 千克. 若按 1 千克 2 元卖出，则要亏损 300 元；若按 1 千克 3 元卖出，则可盈利 500 元. 问：原来进货多少千克？水果进货的金额是多少元？

14 小刚从家去学校，如果每分钟走 80 米，结果比上课时间提前 6 分钟到校；如果每分钟走 50 米，则要迟到 3 分钟. 小刚的家到学校的路程有多远？

第 19 讲

还原问题

有些应用题的思考，是从应用题所叙述事情的最后结果出发，利用已知条件一步一步倒着推理，逐步靠拢所求，直到解决问题，这种思考问题的方法，通常我们把它叫做倒推法(还原法).

下面看一组问题的解答：

(1) 某数加上 1 得 10,求某数.

$$某数+1=10,$$
$$某数=10-1=9.$$

(2) 某数减去 2 得 8,求某数.

$$某数-2=8,$$
$$某数=8+2=10.$$

(3) 某数乘以 3 得 24,求某数.

$$某数\times 3=24,$$
$$某数=24\div 3=8.$$

(4) 某数除以 4 得 6,求某数.

$$某数\div 4=6,$$
$$某数=6\times 4=24.$$

通过观察不难发现，还原类问题的解法是：怎样来的就怎样回去！也就是说，原来是加法，回过去是减法；原来是减法，回过去是加法；同样，原来是乘法，回过去是除法；原来是除法，回过去是乘法.

例 1 一棵石榴树上结有若干石榴，石榴数目减去 6，乘以 6，加上 6，除以 6，结果等于 6. 请你算一算，石榴树上一共有多少个石榴？

分析 根据题意，列出下面的流向图：

石榴树上的石榴数目 → 减去 6 → 乘以 6 → 加上 6 → 除以 6 → 6

用逆推法帮助思考：

石榴树上的石榴数目 ← 加上 6 ← 除以 6 ← 减去 6 ← 乘以 6 ← 6

很容易列出算式，求得石榴树上一共有多少个石榴.

解 $(6\times6-6)\div6+6=30\div6+6$

$=5+6=11$(个).

答 石榴树上一共有 11 个石榴.

说明 为了保证计算结果的正确，可以把 11 作为条件代入计算，看结果是不是 6.

$$[(11-6)\times6+6]\div6=36\div6=6.$$

例 2 有一位老人说："把我的年龄加上 14 后除以 3，再减去 26，最后用 25 乘，恰巧是 100 岁."这位老人今年多少岁？

分析 根据题意，列出下面的流向图：

老人的年龄 → 加上 14 → 除以 3 → 减去 26 → 乘以 25 → 100 岁

用逆推法帮助思考：

老人的年龄 ← 减去 14 ← 乘以 3 ← 加上 26 ← 除以 25 ← 100 岁

很容易列出算式，求得老人的年龄.

解 $(100\div25+26)\times3-14$

$=(4+26)\times3-14=30\times3-14$

$= 90 - 14 = 76$(岁).

答 这位老人今年 76 岁.

随堂练习 1

(1) 某数加上 3,乘以 5,再减去 8,等于 12.求某数.

(2) 耕一块地,第一天耕的比整块地的一半少 5 公顷,第二天耕的比余下的一半多 2 公顷,第三天耕了 20 公顷后还剩下 5 公顷.这块地有多少公顷?

例 3 联通公司出售手机,第一个月售出的比总数的一半多 20 部,第二个月售出的比第一个月剩下的一半多 15 部,还剩 75 部.原有手机多少部?

分析 用逆推法可求出第一个月售出后剩下的部数是

$$(75 + 15) \times 2 = 180(\text{部}),$$

而 180 部加上 20 部,即 $180 + 20 = 200$(部) 正好是总数的一半,所以$(180 + 20) \times 2 = 400$(部) 就是原有手机部数.

解 $[(75 + 15) \times 2 + 20] \times 2 = 400$(部).

答 原有手机 400 部.

例 4 马小虎做一道整数减法题时,把减数个位上的 1 看成 7,把减数十位上的 7 看成 1,结果得出差是 111.问:正确答案是几?

分析 马小虎错把减数个位上 1 看成 7,使差减少了 6;而把十位上的 7 看成 1,使差增加了 60.事实上,这道题可归结为"某数减 6,加 60 得 111,求某数是几?"的问题.

解 $111 - (70 - 10) + (7 - 1) = 57.$

答 正确的答案是 57.

说明 也可以将减数假设为 71,马小虎错将它看成 17,结果

得出差 111，现在只要将它还原就可以了. 根据题意，

$$被减数=17+111=128,$$

正确答案为 $$128-71=57.$$

随堂练习 2

(1) 小芳在做一道加法试题时，由于粗心，把个位上的 5 看作 9，把十位上的 8 看作 3，结果所得的和是 123. 正确的答案应是多少？

(2) 一根电线，第一次用去的比全长的一半多 3 米，第二次用去的比余下的一半多 5 米，还剩下 7 米. 这根电线原长多少米？

例 5 工人们修一段路，第一天修的公路比全长的一半还多 2 千米，第二天修的比余下的一半还少 1 千米，还剩 20 千米没有修. 公路的全长是多少千米？

分析 从"第二天修的比余下的一半还少 1 千米，还剩 20 千米"向前推算. 如图 19－1，从图中可以看出，剩下的 20 千米去掉 1 千米，得到的 $20-1=19$(千米)，正好等于第一天修后余下的一半，第一天修后余下的是 $19\times2=38$(千米). 再从"第一天修的公路比全长的一半还多 2 千米"向前推算，第一天修后余下的 38 千米加上 2 千米，得到的 $38+2=40$(千米)，正好是公路全长的一半，那么，公路的全长是 $40\times2=80$(千米).

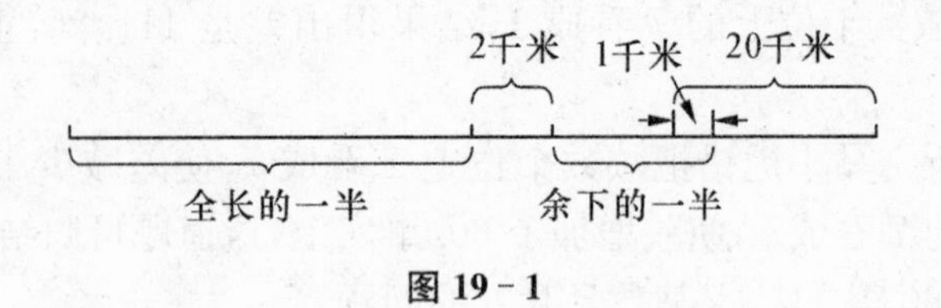

图 19－1

解 第一天修后余下的一半的长度为

$$20-1=19(千米),$$

第一天修后余下的部分有

$$19 \times 2 = 38(\text{千米}),$$

全长的一半有

$$38 + 2 = 40(\text{千米}),$$

公路全长为

$$40 \times 2 = 80(\text{千米}).$$

综合算式得

$$\begin{aligned}&[(20-1)\times 2+2]\times 2\\=&(38+2)\times 2=40\times 2\\=&80(\text{千米}).\end{aligned}$$

答 公路的全长是 80 千米.

例 6 A、B、C 三个油桶各盛油若干千克,第一次把 A 桶的一部分油倒入 B、C 两桶,使 B、C 两桶内的油分别增加到原来的 2 倍;第二次从 B 桶把油倒入 C、A 两桶,使 C、A 两桶油分别增加到第二次倒之前桶内油的 2 倍;第三次从 C 桶把油倒入 A、B 两桶,使 A、B 两桶内的油分别增加到第三次倒之前桶内油的 2 倍,这时各桶的油都为 16 千克.问:A、B、C 三个油桶原来各有油多少千克?

解 借助表格进行逆推.

桶名 / 逆推 / 题设条件	A (单位:千克)	B (单位:千克)	C (单位:千克)
最后结果	16	16	16
第三次倒前	$16 \div 2 = 8$	$16 \div 2 = 8$	$16 + 8 \times 2 = 32$
第二次倒前	$8 \div 2 = 4$	$8 + 16 + 4 = 28$	$32 \div 2 = 16$
第一次倒前	$4 + 14 + 8 = 26$	$28 \div 2 = 14$	$16 \div 2 = 8$

答 A、B、C三个油桶原来依次有油为26千克、14千克、8千克.

说明 还原问题是逆解应用题，一般根据加法和减法、乘法和除法之间的互逆运算关系，由题目所叙述的顺序，倒过来思考，从最后一个已知条件出发，逆推而上，求得结果. 能用逆推法求解的数学问题常常满足下列三个条件：

(1) 已知最后的结果；

(2) 已知在到达最终结果时每一步的具体过程或具体做法；

(3) 未知的是最初的数据.

随堂练习3

(1) 仓库里有一批大米，第1天售出的重量比总数的一半少12吨，第2天售出的重量比剩下的一半多12吨，结果还剩下19吨. 这个仓库原有大米多少吨?

(2) 树林中的三棵树上共停有48只鸟，如果有8只鸟从第一棵树上飞到第二棵树上，又有6只鸟从第二棵树上飞到第三棵树上，这时三棵树上鸟的只数相等. 问：原来每棵树上各停有多少只鸟?

读一读

小数点的代价

1967年8月23日，苏联的"联盟一号"宇宙飞船在返回大气层时，突然发生了恶性事故——减速降落伞无法打开. 当电视台的播音员用沉重的语调宣布了宇宙飞船两小时后将坠毁的消息后，观众们目睹了宇航员弗拉迪米·科马洛夫殉难的实况，举国上下顿时被震撼了.

在电视直播中，宇航员科马洛夫对自己12岁的女儿说了这样一段话："女儿，学习时要认真对待每一个小数点，'联盟一号'今天发生的一切，就是因为地面检查时，忽略了一个小数点……"

科马洛夫走了，他留下了对亲人、对祖国永恒的爱，但更震撼人心的是他对女儿说的那番话. 它警示人们：对待人生不能有丝毫的马虎,否则,即便是一个细枝末节,也会让你付出沉重的甚至是永远无法弥补的代价.

练　习　题

一、填空题

1 某数加 2,乘 5,再减 3 得 27.这个数是________.

2 一位青年将月工资的一半存入银行,又将比剩下的一半多 10 元用于生活费,还花了 25 元钱买了两本书,这时还剩下 120 元钱.这位青年每月工资为________元钱.

3 做一道整数加法题时,小刚把个位上的 7 看作 1,把十位上的 9 看作 6,结果得出和为 136.那么正确的答案应该是________.

4 一根铁管,第 1 次截去 2 米,第 2 次截去剩下的一半,还剩 5 米.这根铁管原来长________米.

5 有一篮鸡蛋,第一次取出一半多 2 个,第二次取出余下的一半多 2 个,第三次取出 8 个,篮里还剩 2 个鸡蛋.篮里原来有________个鸡蛋.

6 一个数经过自加、自减、自乘、自除得到的四个数之和是 100,这个数是________.

二、选择题

7 有一个数乘以 4,除以 5,减去 26,加上 62,等于 76.这个数是(　　).

(A) 165　　(B) 50　　(C) 32　　(D) 25

8 有一筐苹果,小文拿走全筐苹果数的$\frac{1}{3}$,小静拿走余下部分的$\frac{1}{3}$,小镭拿走再余下的$\frac{1}{3}$,筐子里还剩下苹果 32 个.原来有苹果(   ).

(A) 108 个　(B) 864 个　(C) 96 个　(D) 64 个

9 甲、乙、丙共藏书 240 册，先从甲处取出与乙同样多册书给乙，再从乙处取出与丙处同样多册书给丙，最后再从丙处取出与此时甲处同样多册书给甲. 经过这样变动后，丙的藏书是甲的 3 倍，乙是甲的 2 倍. 原来甲、乙、丙各有书的册数为(   ).

(A) 75, 70, 95　(B) 70, 95, 75

(C) 95, 75, 70　(D) 95, 70, 75

10 妈妈买来一批橘子，小刚第一天吃了这些橘子的一半多 1 个，第二天吃了剩下的一半多一个，第三天吃掉第二天剩下的一半多 1 个，这时还剩 1 个橘子. 妈妈买的橘子共(   ).

(A) 20 个　(B) 24 个　(C) 18 个　(D) 22 个

三、简答题

11 一个数减去 8，加上 10，除以 7，乘以 4，结果是 56. 这个数是多少?

12 两棵树上共有麻雀 25 只，有 5 只从第一棵树上飞到第二棵树上，又从第二棵树上飞走 7 只，这时第一棵树上的麻雀是第二棵树上的 2 倍. 问:原来每棵树上的麻雀各几只?

13 小丽看一本故事书，第一天看了这本书的一半多 5 页，第二天看了余下的一半多 10 页，还有 8 页没看. 问:这本故事书共有多少页?

14 甲、乙、丙、丁各有若干棋子，甲先拿出自己棋子的一部分给了乙、丙，使乙、丙每人的棋子数各增加一倍；然后乙也把自己棋子的一部分以同样的方式分给了丙、丁，丙也把自己棋子的一部分以这种方式给了甲、丁，最后丁也以这种方式将自己的棋子给了甲、乙，这时四人的棋子都是 16 枚. 问:原来甲、乙、丙、丁四人各有棋子多少枚?

数码问题

我们在计数时，常常要用到0，1，2，3，4，5，6，7，8，9这10个阿拉伯数字，这10个阿拉伯数字叫做数码，它是印度人首先使用的.

如：$324 = 3 \times 100 + 2 \times 10 + 4$.

在数学学习过程中，常常要研究“数”与“组成它的数码”之间的关系，这类问题我们称为数码问题.

数码问题，形式多样，思维灵活，往往富于思考性、挑战性，有利于激发我们学习数学的兴趣.

例1 一个两位数，十位数字是个位数字的2倍，如果这个数加上4，所得的两位数的两个数字就相同. 求这个两位数.

解 一个两位数，十位数字是个位数字的2倍，这个两位数可能是21，42，63，84.

$21 + 4 = 25$，两个数字不相同；

$42 + 4 = 46$，两个数字不相同；

$63 + 4 = 67$，两个数字不相同；

$84 + 4 = 88$，两位数字相同.

答 所求的两位数是84.

例2 一个两位数，其数字和是5，如果此数减去9，则两个数字的位置交换. 求原来的两位数.

解 两位数的数字和是5，这样的两位数可能是：

$$14,\ 23,\ 32,\ 41,\ 50.$$

$14-9=5$，不符合题意；

$23-9=14$，不符合题意；

$32-9=23$，符合题意；

$41-9=32$，不符合题意；

$50-9=41$，不符合题意.

所求的两位数是 32.

答 原来的两位数为 32.

随堂练习 1

(1) 一个两位数，个位数字是十位数字的 3 倍，如果这个数加上 7，则两个数字就相同. 求这个两位数.

(2) 一个两位数，其数字和是 6，如果此数减去 18，则两个数字的位置交换. 求原来的两位数.

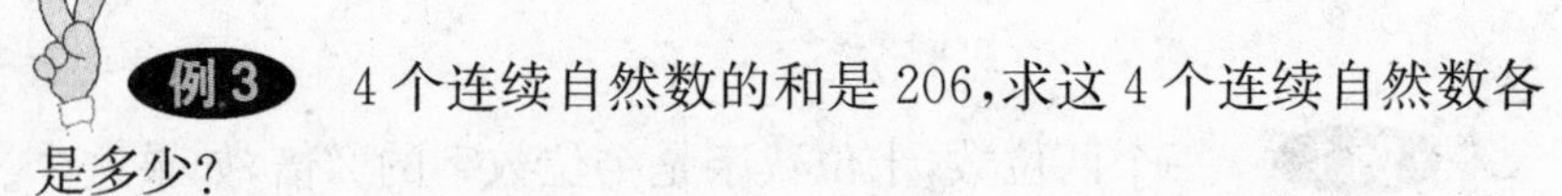

例 3 4 个连续自然数的和是 206，求这 4 个连续自然数各是多少？

分析一 以最小的自然数作标准，其他 3 个自然数分别比它大 1、大 2、大 3.

解法一 最小的自然数为

$$(206-1-2-3)\div 4=200\div 4=50.$$

其余的 3 个数分别为 51，52，53.

分析二 以最大的自然数作标准，其他 3 个自然数分别比它小 3、小 2、小 1.

解法二 最大的自然数为

$$(206+3+2+1)\div 4=212\div 4=53.$$

其余的 3 个数分别为 50，51，52.

分析三 先求出中间 2 个自然数的和，它与首尾两个自然数的和相等，进而按着和差问题求出中间两个数各是多少.

解法三 中间两个自然数之和为 $206 \div 2 = 103$.

中间大数为 $(103 + 1) \div 2 = 52$；

中间小数为 $(103 - 1) \div 2 = 51$；

其余两数为 $51 - 1 = 50$，$52 + 1 = 53$.

答 4 个连续自然数分别是 50，51，52，53.

说明：以上的三种解法将使我们的思路大开，对提高思维能力大有好处.

例 4 一个数减去 120，小芳计算时错把百位数与个位数上的数字互换了，结果得 117. 正确的得数是多少？

分析 此题可先算百位数与个位数互换以后的被减数，然后才能求得正确答案.

解 百位数与个位数互换以后的被减数是

$$120 + 117 = 237.$$

原来的被减数是 732，则

$$732 - 120 = 612.$$

答 正确的得数是 612.

随堂练习 2

(1) 5 个连续自然数之和为 105，求这 5 个自然数.

(2) 一个数加上 132，小田计算时，错把这个数的百位与个位数字互换了，结果得 486. 正确的和应是多少？

例 5 汪阳同学买了一本《童话故事》，他翻开最后一页，发现这本书共 246 页. 问：编印这本书的页码共用了多少个数字？

分析 从 1 到 246 共 246 个数，这些数按数的数位分，可以分为一位数、两位数、三位数，它们分别有 1 个、2 个、3 个数字. 这样，通过分段计算，就能求出题目的答案.

解 1～9页,有9个数,共有$1\times9=9$(个)数字;

10～99页,有90个数,共有$2\times90=180$(个)数字;

100～246页,有147个数,共有$3\times147=441$(个)数字.

所以,编印这本书的页码共用了$9+180+441=630$(个)数字.

答 编印这本书的页码共用了630个数字.

例6 一本辞典共有500页,编印页码1, 2, 3, 4, …, 499, 500.问:数字1在页码中共出现了多少次?

分析 本题所涉及的页码排列都是连续的自然数,研究这样的问题,可按数位分成一位数、两位数、三位数等若干段进行计算.

解 把1～500分成6类进行枚举:

(1) 1～99类,将此类再分成1～9, 10～19, 20～29, …, 90～99这10组.除10～19中1出现11次外,其余9组中1都各出现了1次,所以这一类中,1出现了20次.

(2) 100～199类,这一类有100个数,百位上全是1,1在百位上出现了100次;1在十位上、个位上出现的次数显然与第(1)类相同,出现了20次,共计出现了$100+20=120$(次).

(3) 200～299类,1出现了20次.

(4) 300～399类,1出现了20次.

(5) 400～499类,1出现了20次.

(6) 500中,1未出现.

$$20+120+20+20+20=200(\text{次}).$$

答 数字1在页码中共出现了200次.

随堂练习3

(1) 排一本300页书的页码,共需要多少个数码"0"?

(2) 一本故事书共188页,给这本书编上页码需要多少个数码?

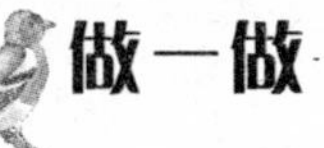

做一做

打　靶

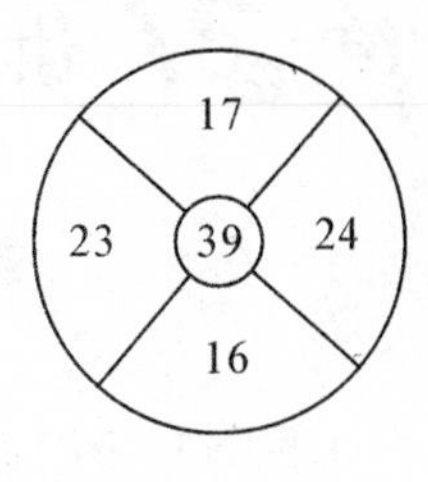

战士们做了一个靶子，分五格，每一格中有击中的分数如图，小李射了若干枪，每次都击中靶子，正好得 100 分. 问：小李射了几枪，击中哪几格？

练　习　题

1. 一个两位数，其两个数字之和是 9，两个数字之差是 1，且个位数字小于十位数字. 这个两位数是多少？
2. 一个两位数，十位数字是个位数字的 3 倍，如果这个数减去 7，则两个数字就相同. 这个两位数是多少？
3. 一个数减去 123，小张计算时错把百位和个位上的数字互换了，结果得 114. 正确得数是多少？
4. 一个两位数，十位上的数字是个位上数字的 2 倍，如果把个位上数字与十位上的数字对调，那么，所得的两位数比原来的两位数小 36. 原来的两位数是多少？
5. 4 个连续奇数的和是 152，求这 4 个连续奇数各是多少？
6. 一个两位数，其数字和是 10，如果此数加上 36，则两个数字的位置交换. 求原来的两位数.
7. 5 个连续自然数的和是 100，求这 5 个数的数字之和是多少？
8. 某三位数是 9 的倍数，且在 300～400 之间，它的百位数字与个位数字的和是 10. 这个三位数是多少？
9. 一本小说书共 201 页，给这本书编上页码需要多少个数码？
10. 一本书有 64 页，在把这本书的各页的页码累加起来时，有一个页码被少加了一次，结果得到的和数为 2030. 求这个被少加了的页码是多少？

第21讲

整除与有余数除法

同学们,我们在二年级就已经学习过"有余数的除法",下面,向大家介绍整除与有余数除法的基础知识与基本方法.

1. 整除:两个整数相除时(除数不为0),它们的商是整数.例如:

$$12 \div 4 = 3.$$

我们就说:"12被4整除"或"4整除12".

2. 有余数除法:两个整数相除时(除数不为0),它们的商不是整数.例如:

$$13 \div 7 = \frac{13}{7}.$$

我们就说:"13不能被7整除",可写成:$13 \div 7 = 1 \cdots\cdots 6$,我们称6为13除以7的余数,这种带有余数的除法叫有余数除法.可表示为:

$$\text{被除数} \div \text{除数} = \text{商} \cdots\cdots \text{余数}.$$

有时为了讨论方便和统一,也将两整数整除时称作余数为零.

3. 被除数=除数×商+余数.

4. 可被2整除的数的特征是:如果一个数的个位数字是偶数,那么这个数能被2整除.

5. 可被3整除的数的特征是:如果一个数的各位上的数字之和能被3整除,那么这个数能被3整除.

6. 可被5整除的数的特征是:如果一个数的个位数字是0或

5,那么这个数能被 5 整除.

7. 数的整除有两个简单的性质:

(1) 如果甲、乙两个整数都能被整数丙整除,那么甲、乙两数的和以及甲、乙两数的差也能被丙整除;

(2) 几个整数相乘,如果其中有一个因数能被某个整数整除,那么它们的积也能被这个整数整除.

例 1 哪些数除以 7,能使商与余数相同?

分析 一个数被 7 除,余数应小于 7,所以余数只能是 0~6 这七种可能.

解 根据关系式:

$$被除数 = 除数 \times 商 + 余数,$$

可求得:

$$0 \times 7 + 0 = 0;\ 1 \times 7 + 1 = 8;$$
$$2 \times 7 + 2 = 16;\ 3 \times 7 + 3 = 24;$$
$$4 \times 7 + 4 = 32;\ 5 \times 7 + 5 = 40;$$
$$6 \times 7 + 6 = 48.$$

即符合题意的数有:0, 8, 16, 24, 32, 40, 48.

说明 观察上述七个解不难发现:每个数都是 8 的倍数,这是什么原因呢?我们来分析关系式:被除数=商×7+余数,因为余数与商相同,因此可看作被除数是商的 7 倍加商的 1 倍,即商的 8 倍.所以,要求的数也可以这样解:

$$0 \times (7+1) = 0;\ 1 \times (7+1) = 8;$$
$$2 \times (7+1) = 16;\ 3 \times (7+1) = 24;$$
$$4 \times (7+1) = 32;\ 5 \times (7+1) = 40;$$
$$6 \times (7+1) = 48.$$

例2 两个整数相除商是12,余数是8,并且被除数与除数的差是822.求这两个整数.

分析 按照题意可作图21-1.

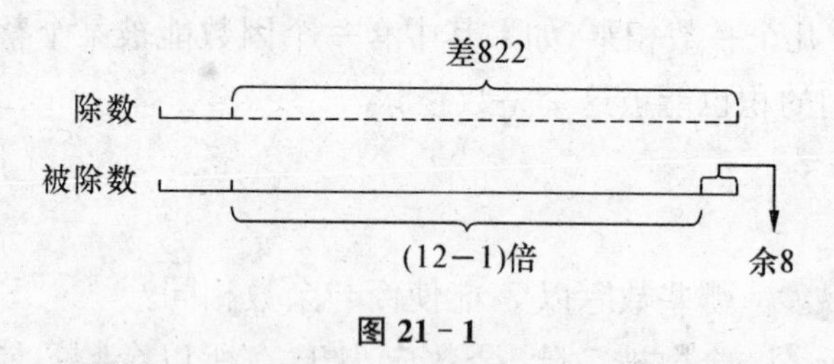

图 21-1

从图中可看出:被除数与除数的差比除数的11倍多8,所以根据差倍问题解法可先求得除数,再求得被除数.

解 除数为

$$(822-8)\div(12-1)=74,$$

被除数为

$$822+74=896.$$

答 被除数是896,除数是74.

随堂练习1

(1) 哪些数除以5,能使商与余数相同?

(2) 两个数的和是444,较大的数除以较小的数所得商是4余24.这两个数各是多少?

例3 下面算式中的两个方框内应填什么数,才能使这道整数除法题的余数最大?

$$\square\div25=104\cdots\cdots\square.$$

解 除数是25,则余数最大可取24.由于

$$被除数 = 除数 \times 商 + 余数,$$

则 $$被除数 = 25 \times 104 + 24 = 2624,$$

故原式为 $$\boxed{2624} \div 25 = 104 \cdots\cdots \boxed{24}.$$

例 4 从 4, 0, 5, 7 四个数中任选三个,组成能同时被 2, 3, 5 整除的数,并将这些数从小到大进行排列.

分析与解 因为组成的三位数能同时被 2, 3, 5 整除,所以个位数字为 0,而且根据三位数能被 3 整除的特征,三个数字之和能被 3 整除.已知数字和 $5+7+0$ 与 $4+5+0$ 都能被 3 整除,于是便可以得出能同时被 2, 3, 5 整除的数,并将这些数从小到大排列是 450, 540, 570, 750.

随堂练习 2

(1) 被除数、除数、商与余数的总和是 100,已知商是 12,余数是 5,求被除数与除数;

(2) 四位数 $\overline{3AA1}$ 能被 3 整除,则 A 是多少?

例 5 四位数 $\overline{7a2b}$ 能被 2, 3, 5 整除,求这样的四位数.

分析 $\overline{7a2b}$ 能同时被 2, 3, 5 整除,所以 $\overline{7a2b}$ 满足以下三个条件:

个位数字 b 必是 0, 2, 4, 6, 8 之一;各位数字之和是 3 的倍数;个位数字 b 是 0 或 5.

第一个条件和第三个条件是针对个位数字的,所以可先根据它们确定个位数字 b,再根据第二个条件确定百位数字 a.

解 要使 $\overline{7a2b}$ 能同时被 2、5 整除,必有 $b=0$. 而要使 $\overline{7a20}$ 能被 3 整除,a 必须满足各位数字的和 $9+a$ 能被 3 整除.这样 a 可取 0, 3, 6, 9,故所求的四位数只能为 7020, 7320, 7620 或 7920.

例 6 首位数字是 9，各位上的数字互不相同，并且能同时被 2、3 整除的七位数中，最小的是几？

分析 设所求的七位数是$\overline{9abcdef}$，要使求出的数最小，而且各位数字互不相同，可先取 $a=0$, $b=1$, $c=2$, $d=3$, $e=4$，再根据“能同时被 2、3 整除”来确定个位数字 f.

解 设满足题设条件的七位数为$\overline{9abcdef}$，要其最小，显然应取 $a=0$, $b=1$, $c=2$, $d=3$, $e=4$；因为能被 3 整除，所以各位数字之和 $9+0+1+2+3+4+f=19+f$ 能被 3 整除，由于数字各不相同，可知 f 只能取 5 或 8；又由能被 2 整除的条件知，$f=8$. 故所求的七位数是9 012 348.

随堂练习 3

(1) 四位数$\overline{8A1B}$能同时被 2，3，5 整除，问：这个四位数是多少？（不同字母代表不同的数字）

(2) 求能被 2，3，5 整除的最大三位数是多少？最小三位数是多少？

读一读

第一个获得“菲尔兹”奖的华人——丘成桐

1982 年，美籍华裔丘成桐获得了“菲尔兹”奖，成为第一个获得这项殊荣的华人数学家.“菲尔兹”奖是国际数学界的最高奖赏，每四年颁发一次，对象是在数学上有重大贡献的、年龄不超过 40 岁的数学家.

丘成桐出生在广东省，后移居香港. 他早年丧父，家境贫寒，但学习勤奋. 中学时对数学入了迷，后来为著名数学家陈省身所器重，破格录取为研究生，接着仅用两年时间就取得了博士学位，年仅 22 岁. 他 25 岁任副教授，28 岁升为正教授，并且是普林顿高级研究所的终身教授.

1981 年他荣获美国数学会颁发的“维布伦”奖. 评奖者认为，很少有数学家能够比得上丘成桐成就的深刻性、影响力及方法和应用的广泛性. 第二年，丘成桐在华沙荣获“菲尔兹”奖.

练　习　题

一、填空题

1 今天是星期三，从今天算起，第 100 天是星期________.

2 减数、被减数、差之和，除以被减数，商是________.

3 某个自然数，被 3 除余 2，被 5 除余 4，被 7 除余 6，这个自然数最小是________.

4 五位数$\overline{48A1B}$能同时被 2，3，5 整除，这个数的百位数字 $A=$________，个位数字 $B=$________.

5 五位数$\overline{7913x}$能被 3 整除，这样的五位数一共有________个.

6 有一本故事书共 99 页，插图和文字的排列顺序是文、图、图、图、文、图、图、图、文……照这样反复，这本书共有________页插图.

二、选择题

7 14 600 ÷ 700 的商与余数为(　　).

(A) 商 2 余 6　　(B) 商 20 余 6

(C) 商 2 余 60　　(D) 商 20 余 600

8 科学家进行一项实验，每隔 5 小时做一次记录，做第十二次记录时，钟表时针恰好指向 9，做第一次记录时，时针指向(　　).

(A) 2　　(B) 5

(C) 7　　(D) 9

9 能同时被 3、5 整除的最小四位数$\overline{5a2b}$的个位数 b 是(　　).

(A) 0 (B) 1

(C) 3 (D) 5

10 个位数是 5,且能被 3 整除的四位数有(　　)个.

(A) 300 (B) 250

(C) 180 (D) 100

三、简答题

11 甲数除以乙数,商 18 余 4,甲数与乙数的和是 270,求甲、乙两数.

12 有同样大小的红、白、黑球共 200 个,按 5 个红球、4 个白球、3 个黑球的顺序排列. 问:黑球共几个? 第 158 个球是什么颜色?

13 四位数$\overline{189x}$能同时被 2 和 3 整除,问:x 等于几?

14 两个数分别是 123、349,求第三个三位数,使它尽可能大,且使三个数的平均数是一个整数.

奇数和偶数

我们把学过的整数按从小到大的顺序写出来，可以写成：

$$0,1,2,3,4,\cdots$$

在学习和生活中，我们经常把上述这些数分成两大类，其中一类叫做偶数，它们是：

$$0,2,4,6,8,10,\cdots$$

另一类叫做奇数，它们是：

$$1,3,5,7,9,\cdots$$

如果一个整数可以被 2 整除，那么我们说这个数是偶数. 如果一个整数不是偶数，那么它一定是奇数.

一个整数是偶数还是奇数，是这个整数自身的一种性质. 这种性质，叫做奇偶性.

在这一讲中，我们向大家介绍奇数和偶数的三个最常见的性质.

性质 1 任何一奇数一定不等于任何一个偶数.（例如 $3\neq4$）

性质 2 相邻的两个自然数总是一奇一偶.

性质 3 有趣的运算规律：

奇数±奇数＝偶数

偶数±偶数＝偶数

奇数±偶数＝奇数

或　　偶数±奇数＝奇数

奇数×奇数=奇数

奇数×偶数=偶数

偶数×偶数=偶数

奇数不可能被偶数整除

例1 $1+2+3+4+\cdots+100+101$ 是奇数还是偶数?

分析 因为只要求判断和的奇偶性,根据加减运算中奇偶性的规律知,不必求和,只需弄清加数中有多少个奇数即可.

解 1, 2, 3, 4, …, 99, 100, 101 这些加数是一奇一偶排列的,所以其中共有:$100\div2+1=51$ 个奇数. 51 个奇数相加的和仍是个奇数.所以和一定是奇数.

例2 在 30 到 100 中所有 3 的倍数的和是奇数还是偶数?

解 在 30 到 100 中,所有 3 的倍数按从小到大的次序可以写成:30, 33, 36, 39, …, 93, 96, 99.其中的奇数是:

33, 39, 45, …, 93, 99.

这些奇数的总个数为:$(99-33)\div6+1=12$.

12 个奇数的和应是偶数,因此在 30 到 100 中所有 3 的倍数的和是偶数.

随堂练习 1

(1) 判断 $11+12+13+14+\cdots+89+90$ 是奇数还是偶数?

(2) 已知:$83+95+177+189+a=2003$,请判断 a 是奇数还是偶数?

例3 有一列数:1, 1, 2, 3, 5, 8, 13, 21, 34, 55, …,从第三个数开始,每个数都是前两个数的和.那么在前 1000 个数中,有多少个奇数?

分析 根据“奇数+奇数=偶数,奇数+偶数=奇数”及第一、第二个数都是奇数,按照这列数的组成规律知,各数的奇偶性依次为:奇,奇,偶,奇,奇,偶,奇,奇,偶,…,即每三个数为一组,其中前两个是奇数,后一个是偶数.

解 这列数的排列规律是每三个数为一组,其中前两个是奇数,后一个是偶数.

$$1000 \div 3 = 333\cdots\cdots 1.$$

所以前1000个数中有偶数333个,有奇数

$$1000 - 333 = 667(\text{个}).$$

例4 算式 $1\times2+3\times4+5\times6+\cdots+99\times100$ 的得数是奇数还是偶数?

分析 先判断各个积的奇偶性,再判断整个和的奇偶性.

解 因为每个积都是相邻两个自然数相乘,其中必有一个是偶数,所以每个积都是偶数,最后的和也必是偶数.

随堂练习2

(1) 已知:$3\times5\times a\times b\times c=3375$,问:在自然数 a、b、c 中,b 是奇数还是偶数?

(2) 判断下面算式的得数是奇数还是偶数?

$(500+501+502+\cdots+597)-(251+252+\cdots+291)$.

例5 五个连续奇数的和是2005,求这五个奇数.

分析 五个连续奇数中间的一个数是这五个连续奇数的平均数,可先求出中间的这个数,再求其他奇数.

解 中间的一个奇数是 $2005\div5=401$,所以这五个连续奇数是397,399,401,403,405.

说明 五个连续的奇数可用整数 a 表示为：$a-4$、$a-2$、a、$a+2$、$a+4$，显然这五个数的和为 $5a$.

例 6 能否在下面的□内填入加号或减号，使得等式成立？为什么？

$$1\square 2\square 3\square 4\square 5\square 6\square 7\square 8\square 9=10$$

分析 根据加减运算中奇偶性的规律知，左边运算结果的奇偶性与所填加号、减号无关，只与参与运算的数中有多少个奇数有关，由此不难得出结论.

解 1～9 中共有 5 个奇数，所以不管左边怎样填加号、减号，它都是一个共有奇数个奇数参加运算的加减算式，运算结果必是奇数，不可能等于偶数 10，所以不可能在□内填入适当的加减号使等式成立.

随堂练习 3

(1) 三个连续奇数的和是 201，求这三个奇数.

(2) $99+98-97+96-95+\cdots+2-1$ 是奇数还是偶数？说明你的理由.

读一读

彩票中的数学概率

现在有大小完全相同的四张硬纸片，上面分别写着 1，2，3，4 四个不同的数字. 如果不看数字，任意抽一张，取出来的那一张上面是什么数字呢？

是不是 1，2，3，4 这几个数字被抽出的机会完全均等？理论上每一个数字被抽取的机会都是 $\frac{1}{4}$，实践会怎样呢？如果你同样试抽一万次，你会发现 1，2，3，4 被抽取的次数大致接近于总数的$\frac{1}{4}$. 实践和理论是一致的，抽的次数越多，就越接近这个数字.

在数学里我们把一件事情可能发生的次数与实践的总次数的商，叫做这件事情发生的概率.

彩票正是运用了这个数学知识，如在一百万中设一个特等奖，则每次中特等奖的概率就是一百万分之一.

练　习　题

一、填空题

1 $1+2+3+4+5+\cdots+49+50$ 的结果是________.（填偶数或奇数）

2 有一列数 1，1，2，4，7，13，24，44，81，…，从第 4 个数开始，每个数都是它前边三个数之和，那么第 100 个数是________.（填奇数或偶数）

3 某自然数分别与两个相邻自然数相乘，所得积相差 100，某数是________.

4 三个相邻偶数的积是四位数 $\overline{***8}$，这三个相邻偶数是________.

5 每张方桌上放有 12 个盘子，每张圆桌上放有 13 个盘子. 若共有盘子 109 个，则圆桌有________张，方桌有________张.

6 7 个学生进行象棋比赛，下到某一阶段时，统计员统计各人下的盘数如下：

人	A	B	C	D	E	F	G
盘数	6	5	6	4	3	2	5

小明看过后，说统计员肯定统计错了，你的看法是________.

二、选择题

7 如果用 n 表示一个自然数，那么 $n(n+1)$ 是(　　).

(A) 奇数　　(B) 偶数

(C) 奇数或偶数　　(D) 由 n 定奇偶

8 有5个连续奇数，第1个与第4个的和为28，那么这5个数中最小的与最大的各是(　　).

(A) 11与19　　(B) 13与21

(C) 9与17　　(D) 15与23

9 已知三个整数 a、b、c 的和是奇数，并且 $a-b=3$，那么 a、b、c 的奇偶性为(　　).

(A) 三个都是奇数　　(B) 两个奇数一个偶数

(C) 一个奇数两个偶数　　(D) 三个都是偶数

10 有四个不相同的自然数，它们中任意两个的和是2的倍数，任意三个数的积是3的倍数，为了使这四个数的和尽可能地小，这四个数分别是(　　).

(A) 1, 3, 5, 9　　(B) 3, 9, 15, 21

(C) 1, 3, 7, 9　　(D) 3, 6, 9, 12

三、简答题

11 计算前100个自然数中所有奇数的和与所有偶数的和.

12 从3, 15, 9, 7, 21, 1, 5, 11, 7中挑出7个数，使它们的和为50. 能不能做到? 说说你是怎么想的.

13 三个相邻的偶数的乘积是一个六位数$\overline{8****2}$，求这三个偶数.

14 在黑板上写3个整数，然后擦去一个换成其他两数之和或者差，这样继续操作下去，最后得到64, 78, 142. 问：原来写的3个整数能否为1, 3, 5?

第 23 讲

图形的个数

数几何图形的个数，不像数“竹筐里有多少个苹果”、数“停车坪上有多少辆轿车”一样容易. 几何图形计数问题往往没有显而易见的顺序，而且要数的对象通常是重叠交错的，要准确计数就需要一些智慧了. 实际上，图形计数问题，通常采用一种简单原始的计数方法——枚举法. 具体而言，它是指把所要计数的对象一一列举出来，以保证枚举时无一重复、无一遗漏，然后计算其总和. 正确地解答较复杂的图形个数问题，有助于培养同学们思维的有序性和良好的学习习惯.

例 1 如图 23－1 中有多少条线段？

分析 我们把图中的线段 AB、BC、CD、DE 看作是基本线段，那么：

由 1 条基本线段构成的线段有 AB、BC、CD、DE 共 4 条；

由 2 条基本线段构成的线段有 AC、BD、CE 共 3 条；

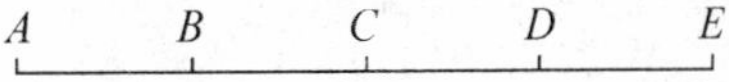

A B C D E

图 23－1

由 3 条基本线段构成的线段有 AD、BE 共 2 条；

由 4 条基本线段构成的线段只有 AE 1 条.

我们还可以从线段的两个端点出发去数：

以 A 点为左端点的线段有 AB、AC、AD、AE 共 4 条；

以 B 点为左端点的线段有 BC、BD、BE 共 3 条；

以 C 点为左端点的线段有 CD、CE 共 2 条；

以 D 点为左端点的线段只有 DE 1 条.

解 $4+3+2+1=10$(条).

答 图中有 10 条线段.

例 2 如图 23 - 2 中有几个角?

分析 我们把图中 $\angle AOB$、$\angle BOC$、$\angle COD$ 看作基本角,那么:

由 1 个基本角构成的角有 $\angle AOB$、$\angle BOC$、$\angle COD$ 共 3 个;

由 2 个基本角构成的角有 $\angle AOC$、$\angle BOD$ 共 2 个;

由 3 个基本角构成的角只有 $\angle AOD$ 1 个.

我们也可以从角的一边出发来数:

以 OA 为一边的角有 $\angle AOB$、$\angle AOC$、$\angle AOD$ 共 3 个;

以 OB 为一边的角有 $\angle BOC$、$\angle BOD$ 共 2 个;

以 OC 为一边的角只有 $\angle COD$ 1 个.

解 $3+2+1=6$(个).

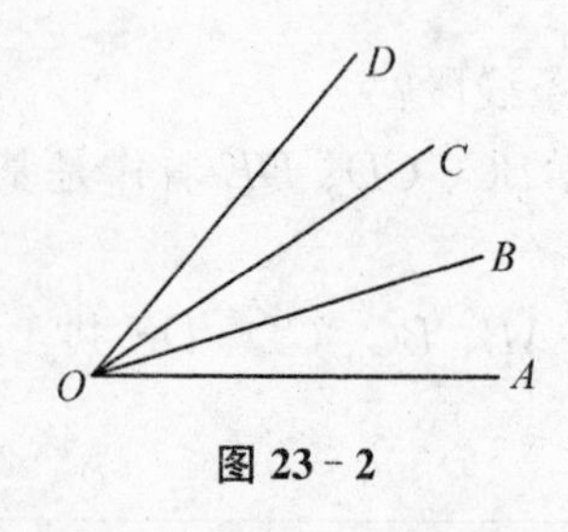

图 23 - 2

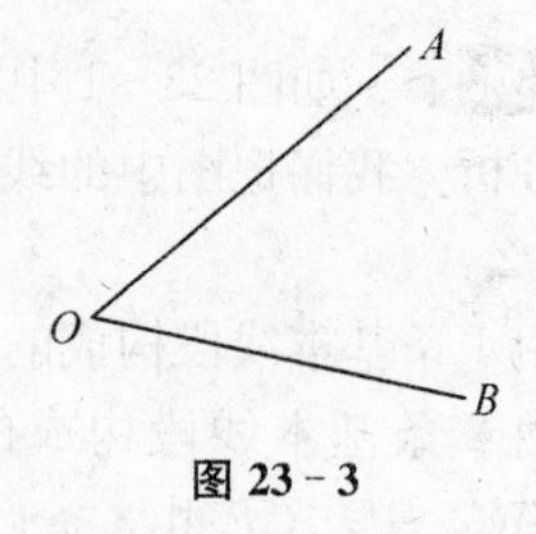

图 23 - 3

答 图中共有 6 个角.

说明 以上两题用到的方法是分类计算,通过分类可以将大问题分解为小问题,从而化难为易、化繁为简.

想一想 在射线 OA 与 OB 内部,经过点 O 画多少条射线才能使图 23 - 3 中角的个数是 10 个.

随堂练习 1

(1) 如图,数一数图中各有多少条线段.

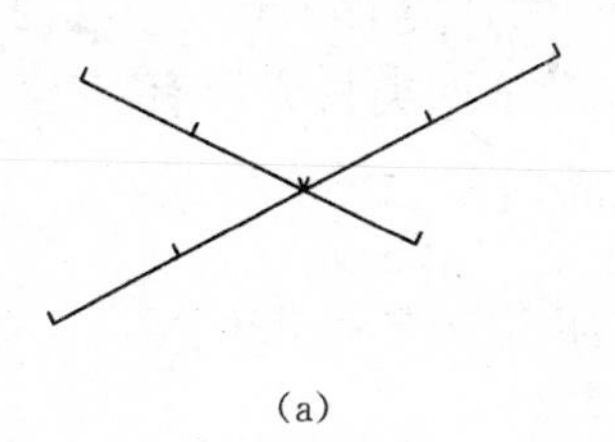

(a)

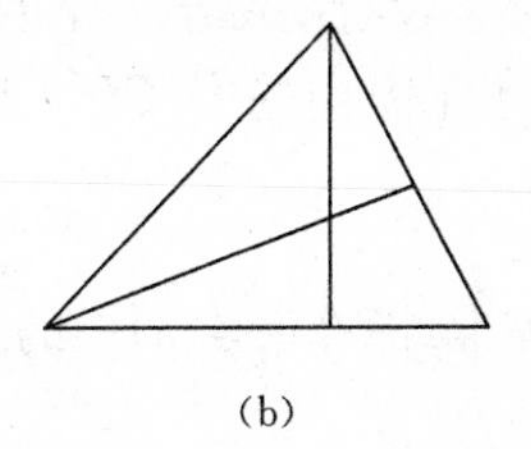

(b)

第(1)题

(2) 如图,图中有多少个角?

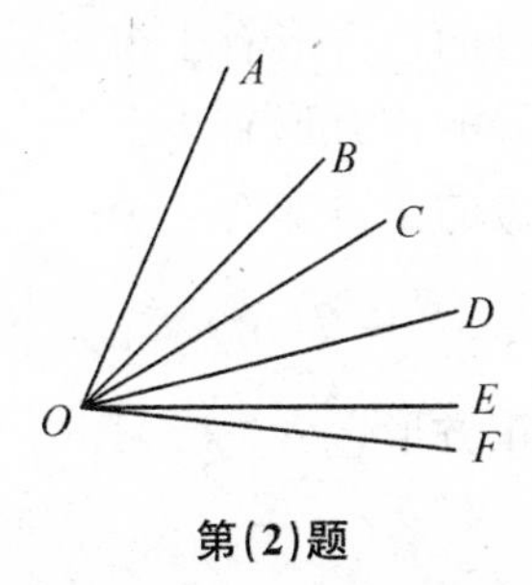

第(2)题

例3 数一数,图 23-4(a)中有多少个长方形(包括正方形).

解 如图 23-4(b)所示,我们把图中的长方形分成两类:一类是仅由白色小方格构成的,另一类是含有阴影小方格的.

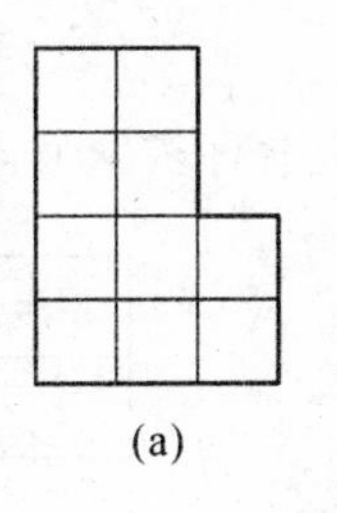

(a)

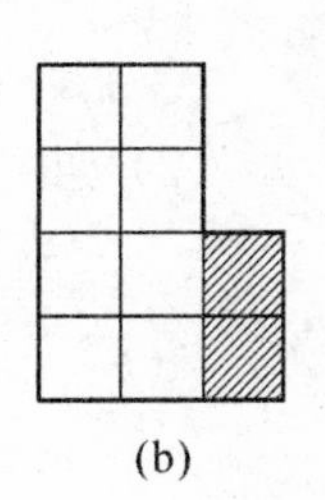

(b)

图 23-4

每一类长方形的个数为

长上的线段数×宽上的线段数.

对于仅由白色小方格构成的长方形,有

$$(1+2)\times(1+2+3+4)=30(\text{个});$$

对于含有阴影小方格的长方形，竖直边有 $1+2=3$(种) 选择方式，水平方向的边只有 3 种选择，于是这类长方形有

$$3\times 3=9(\text{个}).$$

综上，图 23 - 4(a)中的长方形有 $30+9=39$(个).

例 4 如图 23 - 5 中有多少个正方形包含“ * ”号?

分析 我们把最短的一条线段如 AB 看作基本线段，那么，
边长为 1 且包含“ * ”号的正方形有 1 个；
边长为 2 且包含“ * ”号的正方形有 4 个；
边长为 3 且包含“ * ”号的正方形有 2 个.

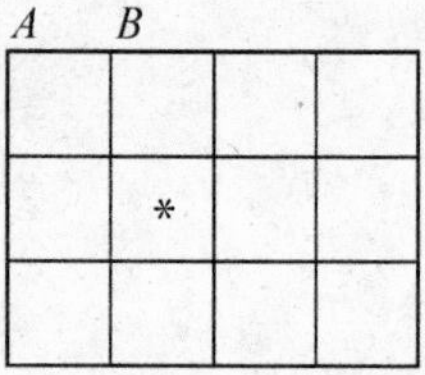

图 23 - 5

解 $$1+4+2=7(\text{个}).$$

答 图中有 7 个正方形包含“ * ”号.

随堂练习 2

(1) 如图，图中有多少个长方形?

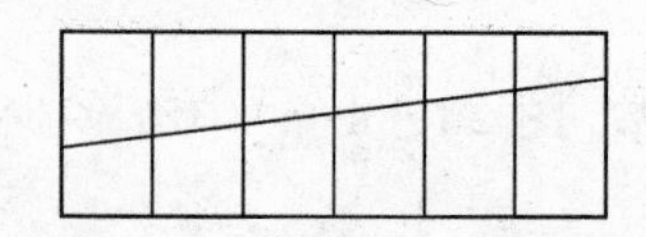

第(1)题

(2) 如图，图中有多少个正方形包含两个阴影方格?

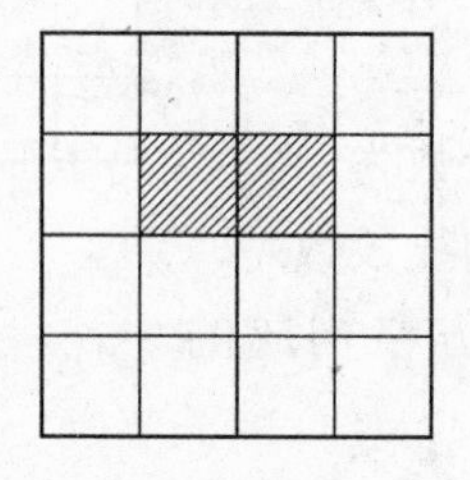

第(2)题

例 5 数一数图 23－6 中共有多少个三角形？

分析 我们可将图 23－6 分成三个部分来数：

(1) 在$\triangle ABC$中，一共有

$5+4+3+2+1=15$(个) 三角形；

(2) 在$\triangle ABD$中，一共有

$5+4+3+2+1=15$(个) 三角形；

(3) 在$\triangle BDC$中，一共有 5 个三角形.

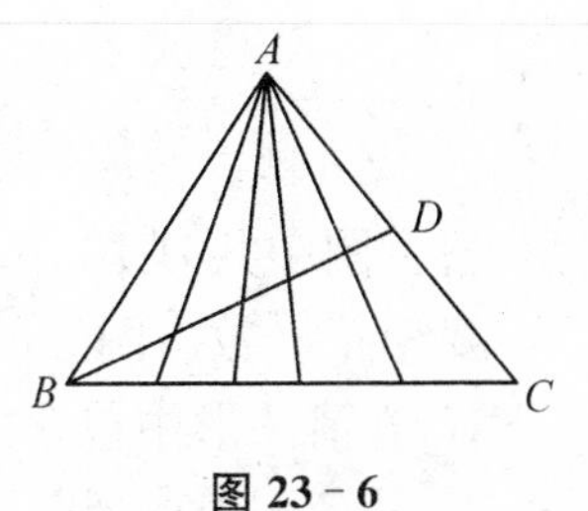

图 23－6

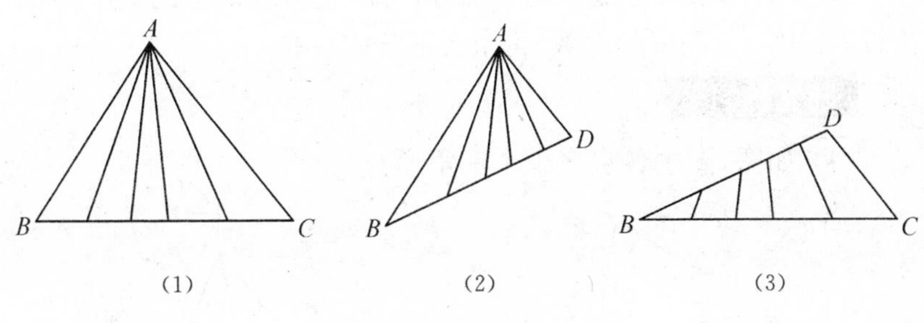

解 $15+15+5=35$(个).

答 图中共有 35 个三角形.

例 6 如图 23－7 中共有多少个单位小正方体？

分析 图中的小正方体共分 5 层，各层的个数算出后相加就得到小正方体的总个数.

解 从上往下依次分层数.

第一层有 1×2 个；

第二层有 2×3 个；

第三层有 3×4 个；

第四层有 4×5 个；

图 23－7

第五层有 5×6 个.

小正方体的总个数为：

$$
\begin{aligned}
&1\times2+2\times3+3\times4+4\times5+5\times6\\
=&2+6+12+20+30=70(\text{个}).
\end{aligned}
$$

答 图中共有 70 个单位小正方体.

要想正确数出图形的个数，关键是从基本图形入手：

1. 弄清图形中包含的基本图形是什么，有多少个；

2. 从各图形中所包含基本图形的个数多少出发，依次数出它们的个数，并求出它们的和是多少；

3. 有些图形被分成了几个部分，可以先从各部分的基本图形出发，数出所含图形的个数，再求各部分的总和.

随堂练习 3

(1) 如图，图中各有多少个三角形？

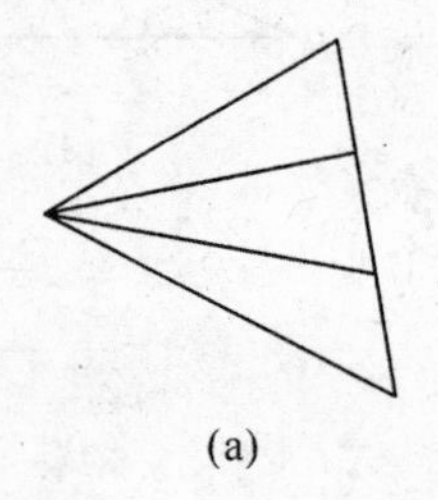

(a)　　　　(b)

第(1)题

(2) 如图，图中一共有多少个单位小正方体？

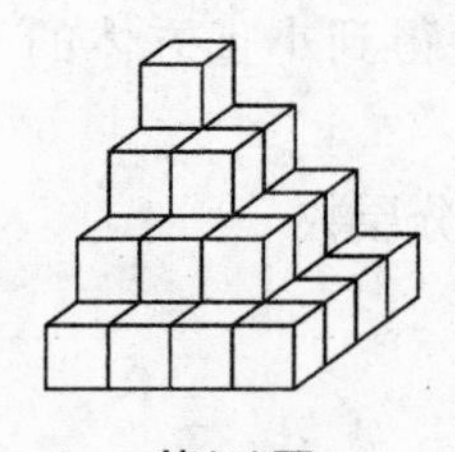

第(2)题

读一读

你知道吗?

我国领土辽阔,从东到西最长的距离约 5200 千米,最北部到最南端相距约 5500 千米.

我国陆地边界线长 20 000 多千米,大陆海岸线长 18 000 多千米,海上有大、小岛屿 5000 多个,岛屿海岸线长 12 000 多千米.

世界最高峰——珠穆朗玛峰,位于我国境内,高 8844 米.

我国的大运河,北起北京,南到杭州,长达 1794 千米,是世界上最长的运河.

我国的长城长约 5100 千米,是世界历史上伟大的工程之一.

练 习 题

一、填空题

1 6 个不共线的点两两连线可以得出________条线段.

2 如果线段 AB 上共有 7 个点(包括端点在内),那么共有________条线段.

3 如图,图中有________个三角形.

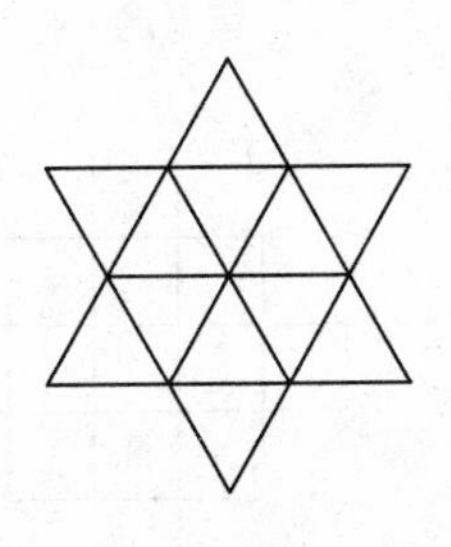

第 3 题

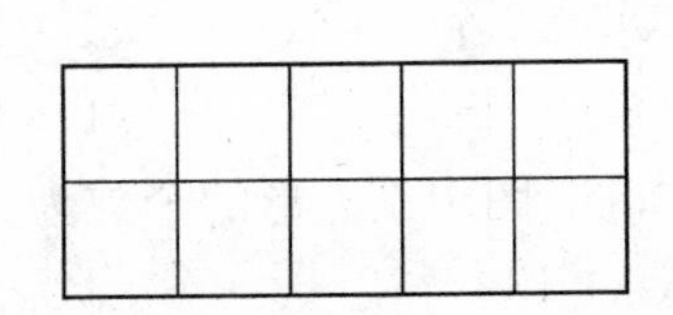

第 4 题

4 如图,图中共有________个正方形.

5 如图,图中共有________个三角形.

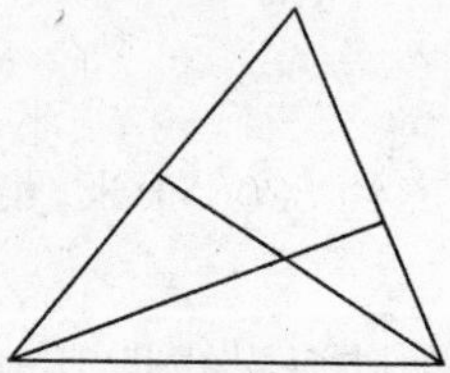

第 5 题

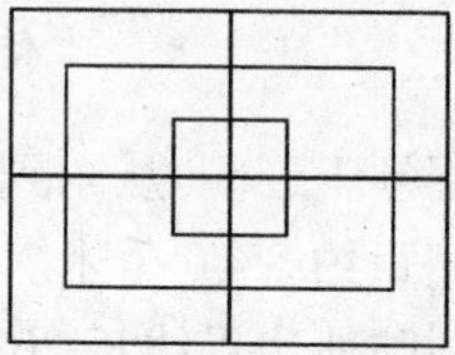

第 6 题

6 如图,图中共有________个长方形.

二、选择题

7 如图,直角的个数为(　　).

(A) 4　　(B) 6　　(C) 8　　(D) 10

8 如图是一个窗户的图形,这个图形中共有(　　)个长方形.

(A) 5　　(B) 8　　(C) 12　　(D) 10

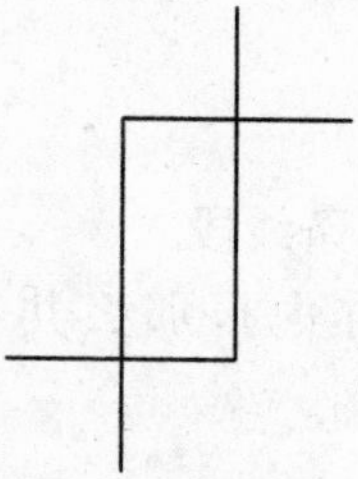

第 7 题 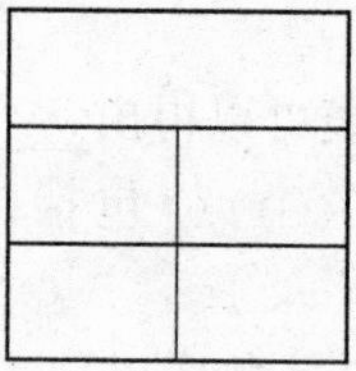　　第 8 题 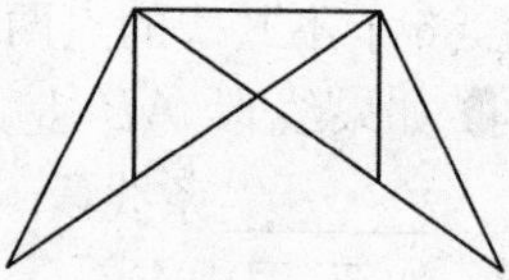　　第 9 题

9 如图,图中共有三角形(　　).

(A) 12 个　　(B) 11 个

(C) 9 个　　(D) 13 个

10 如图,图中正方形的个数为(　　).

(A) 13　　(B) 17

(C) 18　　(D) 15

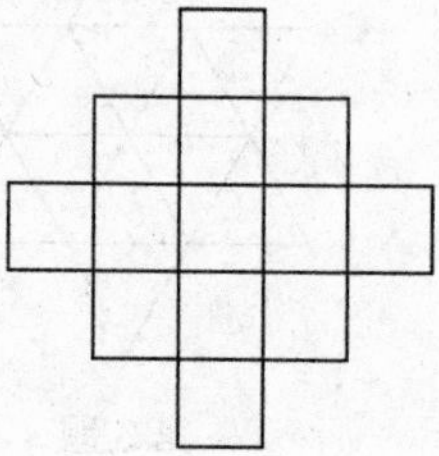

第 10 题

三、简答题

11 如图所示,从点 O 引出 10 条射线,此图中共有多少个锐角?

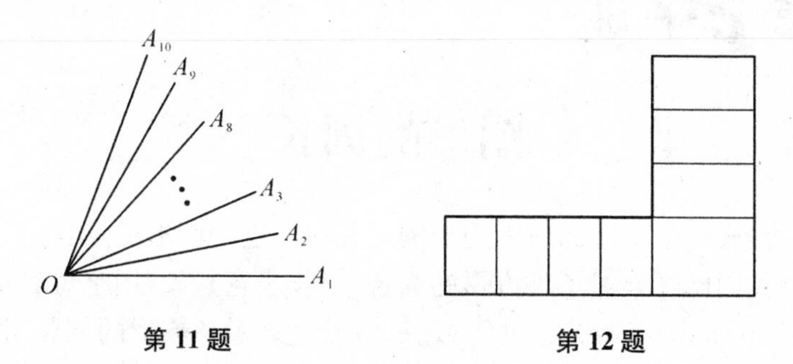

第 11 题　　　　第 12 题

12 如图,图中有多少个长方形?

13 某班共有 40 名学生,现将这 40 个人排成一队. 问:

(1) 40 个人可组成多少条线段?

(2) 如果去掉两头的学生,这样可以组成多少条线段?

14 如图,图中共有多少个正方体?

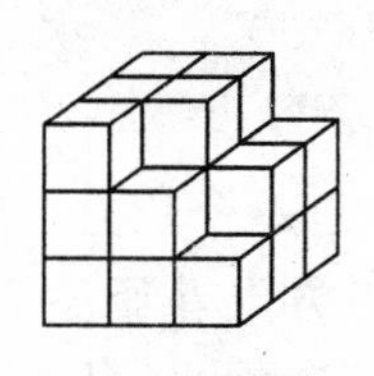

第 14 题

第24讲

图形的周长

围成一个图形的所有边长的总和叫做这个图形的周长.

我们已经学习了长方形的周长=(长+宽)×2,用字母表示就是$C=(a+b)\times 2$.这里的C、a、b分别表示长方形的周长、长和宽.正方形的周长=边长×4,即$C=a\times 4$,这里的C、a分别表示正方形的周长和边长.

对于标准图形的周长,我们可以直接用公式求出.同学们能不能运用所学的知识将表面上看起来根本不是长方形或正方形的图形转化成标准的长方形和正方形图形,并进行周长的计算呢?本讲内容我们将学习有关的方法.

例1 如图24-1是一个长方形街心公园,$BEFD$是正方形花圃.小明是从A点到E点走了80米,从D点到G点走了60米.小明沿街心公园走一周要走多少米?

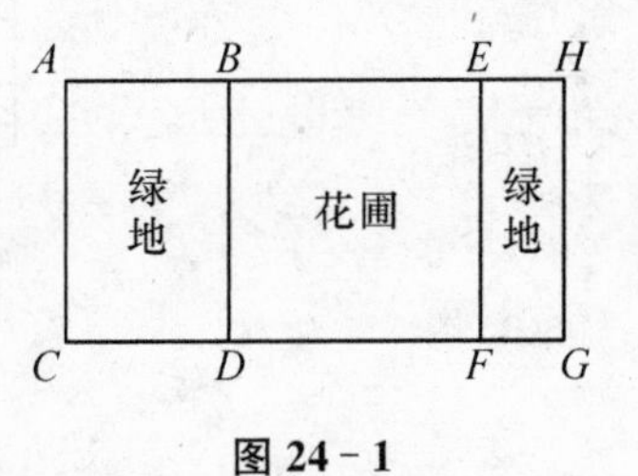

图24-1

分析 图中,$AE=80$米,$DG=60$米,$BH=DG=60$米,

$$AE+BH=AH+BE=AH+BD=AH+HG,$$

于是,长+宽$=80+60=140$(米),周长为280米.

解 $(80+60)\times 2=140\times 2=280$(米).

答 小明沿街心公园走一周要走280米.

例 2 如图 24－2，一个正方形被分成 3 个大小、形状完全一样的长方形，每个小长方形的周长都是 24 厘米，求这个正方形的周长.

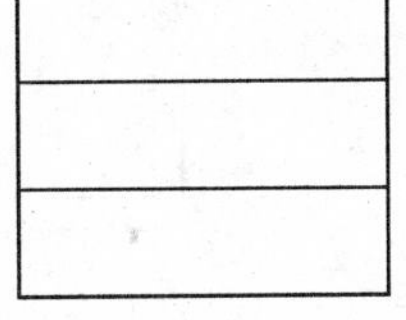
图 24－2

分析 根据已知条件，可以算出 3 个长方形周长的和是 $24\times3=72$（厘米），观察图 24－2，发现 3 个长方形周长的和等于 6 条长与 6 条宽的长度和，3 个长方形拼成一个正方形，正方形的边长等于长方形的长，也等于长方形的 3 条宽的和. 所以，3 个长方形周长的和等于正方形的 8 条边长. 这样，正方形的边长就可以求出来了：$72\div8=9$（厘米）. 边长求出来后就可以求正方形的周长了.

解
$$24\times3\div8\times4$$
$$=72\div8\times4=9\times4=36\text{（厘米）}.$$

答 这个正方形的周长是 36 厘米.

随堂练习 1

（1）一个长方形和一个正方形，周长相等，已知正方形的边长是 40 厘米，长方形的长是 60 厘米，这个长方形的宽是多少厘米？

（2）如图，一个正方形被分成了 4 个相同的长方形，每个长方形的周长都是 20 厘米，求这个正方形的周长.

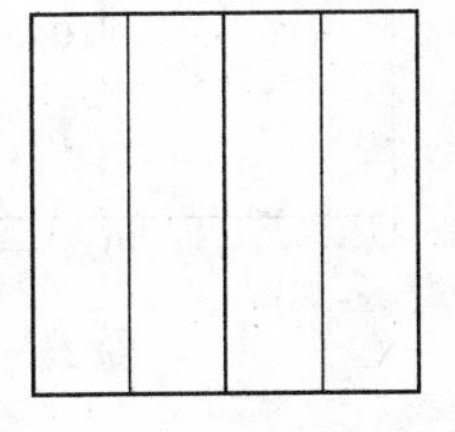
第(2)题

例 1 求图 24－3 所示的一块实验地的周长.

分析 求这块地的周长，表面看起来似乎缺少条件，因为这块地不是个正方形，而是一个六边形，求这个六边形的周长，只有把所有的边长相加，而条件又不足. 但是，如果我们把图 24－3 转化为图 24－4，就可把六边形转化为边长为 50 米的正方形，这样问题就可以得到解决.

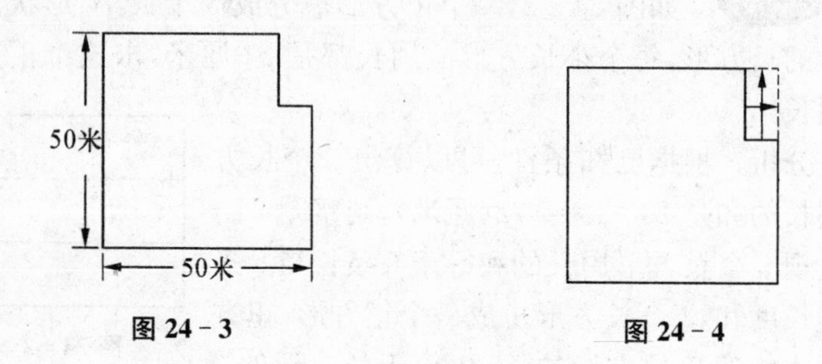

图 24-3　　　　图 24-4

解　　　　$50\times4=200$(米).

答　这块地的周长是 200 米.

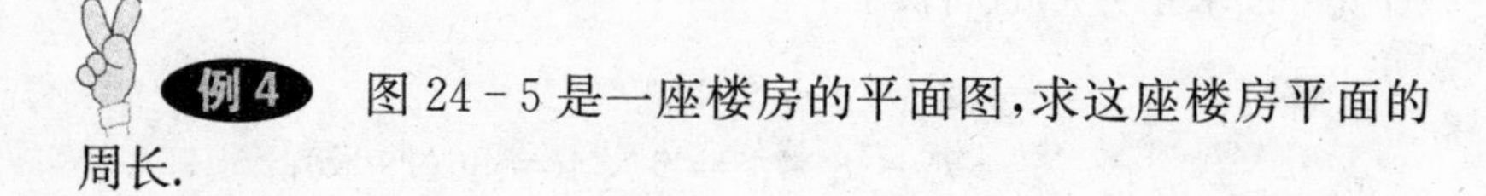

例 4　图 24-5 是一座楼房的平面图,求这座楼房平面的周长.

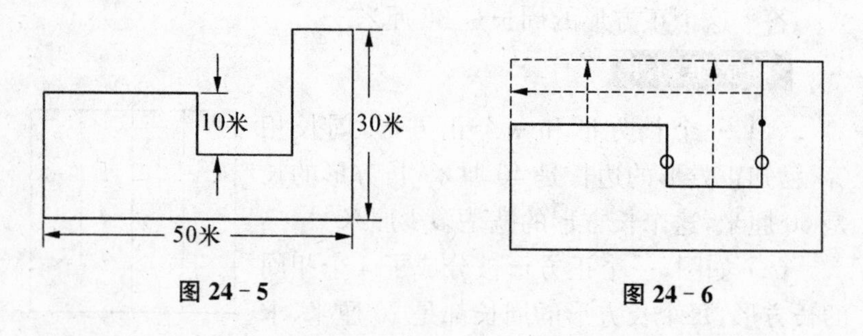

图 24-5　　　　图 24-6

分析　根据转化的思考方法,把图 24-5 转化为图 24-6(箭头所指的是转化的部分)后,只有画"○"的两条 10 米长的线段没有转化.这样,图 24-5 的周长就转化为图 24-6 的大矩形的周长与两条 10 米长的线段的和.

解　$(50+30+10)\times2=90\times2=180$(米).

答　这座楼房平面图的周长是 180 米.

随堂练习 2

(1) 如图,求图形的周长.(单位:厘米)

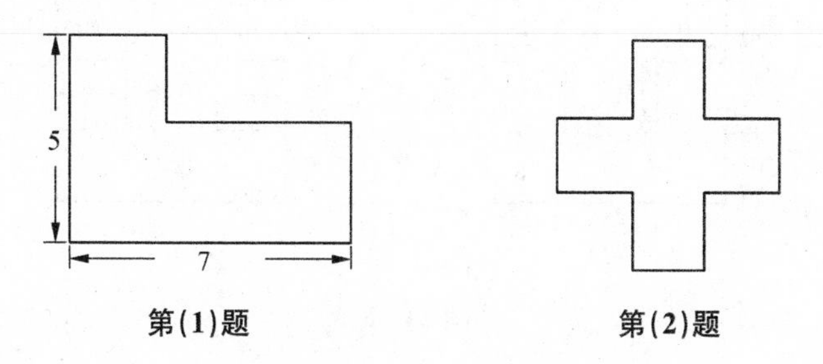

第(1)题　　　　第(2)题

(2) 如图,图中每条小线段的长均为 3 厘米,十字图形的周长是多少厘米?

例 5 求图 24－7 的周长.(单位:厘米)

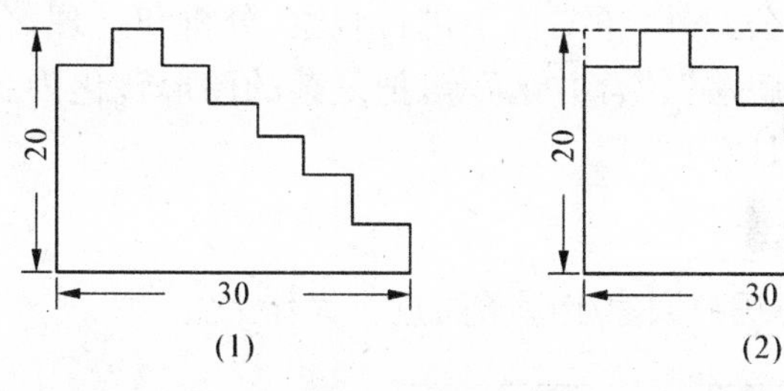

(1)　　　　(2)

图 24－7

分析 这道题看起来似乎缺少条件,但我们若将图(1)中的线段进行平移,然后拼成图(2).

由于平移线段不改变线段长度,所以图(1)的周长等于图(2)的周长.

解 $(20+30)\times 2=100$(厘米).

答 这个图形的周长是 100 厘米.

例 6 图 24－8 是一个"工"字形大楼的平面图,请你求出

它的周长.(单位:米)

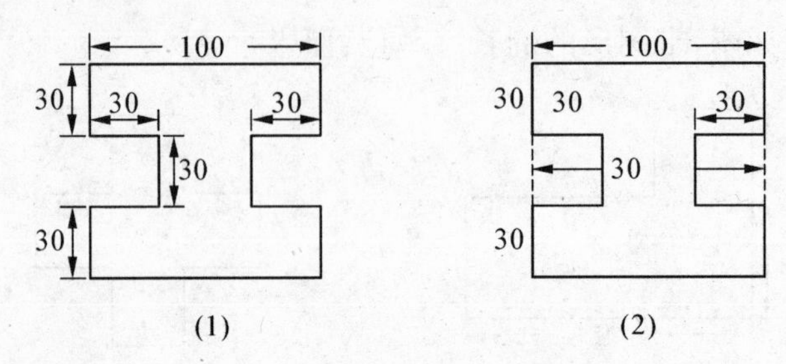

图 24-8

分析 把图(1)的部分线段按照图(2)的箭头所指平移.图(2)长方形的周长加4条线段的长度就是所求的答案.

解 $(100+30+30+30)\times 2+30\times 4=500$(米).

答 平面图形的周长是500米.

说明 要正确、迅速地解答有关平面图形周长的问题,除了要掌握上述概念和公式外,还要善于进行观察、分析和推理,合理运用"平移法"、"分解法"、"合并法"等,把复杂的图形转化为我们熟悉的平面图形来计算.

随堂练习3

(1) 如图,小蚂蚁回家走哪条路近?为什么?

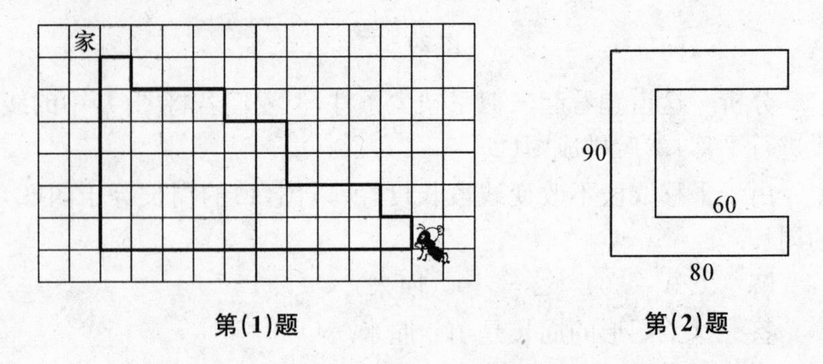

第(1)题　　第(2)题

(2) 如图是学校教学楼的平面图,求其周长.(单位:米)

想一想

数学谜题

一个数真有趣，
自己加自己，
自己减自己，
自己乘自己，
自己除自己，
所得结果加一起，
整整八十一，
请你猜猜看，这个数是几？

练　习　题

一、填空题

1 一个长方形的周长为72厘米，长比宽的2倍少3厘米，则此长方形的长为________厘米，宽为________厘米.

2 如图，由四个大小相同的正方形拼成一个长方形，一个正方形的周长是20厘米，长方形的面积是________平方厘米，长方形的周长是________厘米.

第2题

3 如图，阴影部分是个正方形，最大长方形的周长是________厘米.

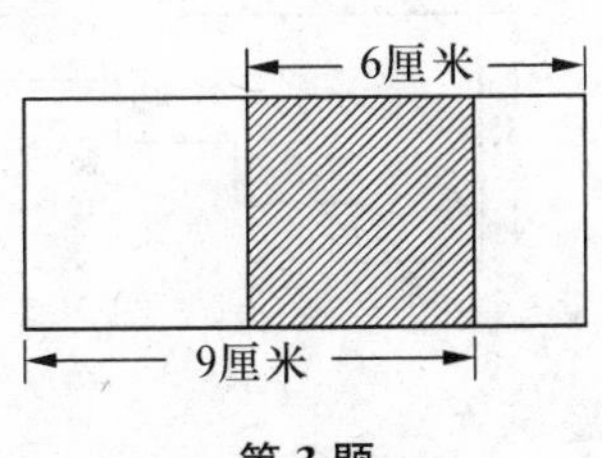

第3题

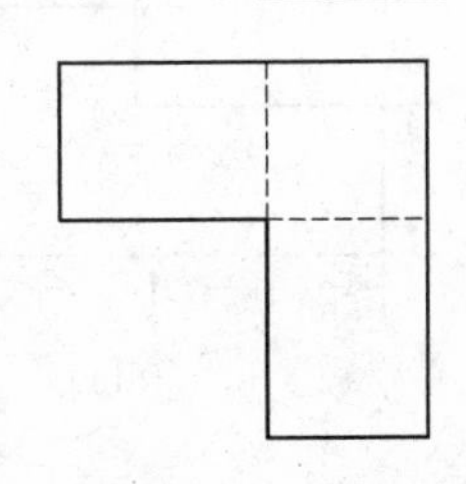

第4题

4 如图,两个相同的长方形,长 7 厘米,宽 3 厘米,按如图的样子重叠在一起,这个图形的周长是________厘米.

二、选择题

5 一个长方形的长是宽的 4 倍,如果宽延长 9 厘米,长不变,这样就成一个正方形,原来长方形的周长是(　　)厘米.

(A) 3　　(B) 9

(C) 15　　(D) 30

6 一个边长是 10 厘米的正方形,如果从四角剪去一个边长是 1 厘米的小正方形,它的周长________.

(A) 增加 4 厘米　　(B) 减少 4 厘米

(C) 与原来相等　　(D) 以上都不对

三、简答题

7 把一个长 10 厘米、宽 5 厘米的长方形,分成两个大小一样的正方形,每个正方形的周长是多少?

8 两个大小相同的正方形拼成一个长方形后,周长比原来的两个正方形周长的和减少了 6 厘米. 原来一个正方形的周长是多少厘米?

9 一个正方形与一个长方形的周长相等,长方形长与宽的和是 12 分米,求正方形的周长和面积.

10 如图,求图形的周长.(单位:米)

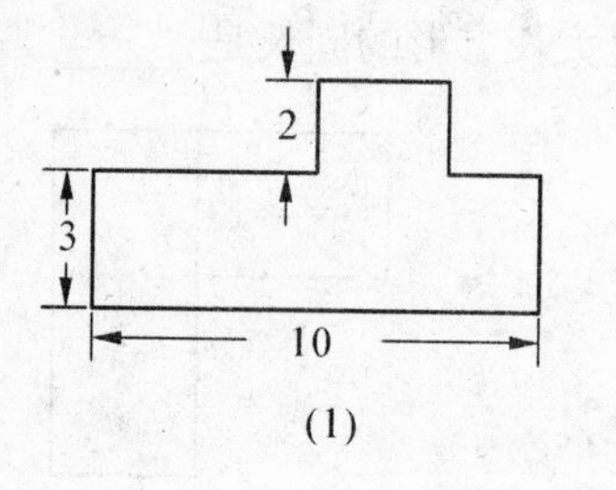

(1)

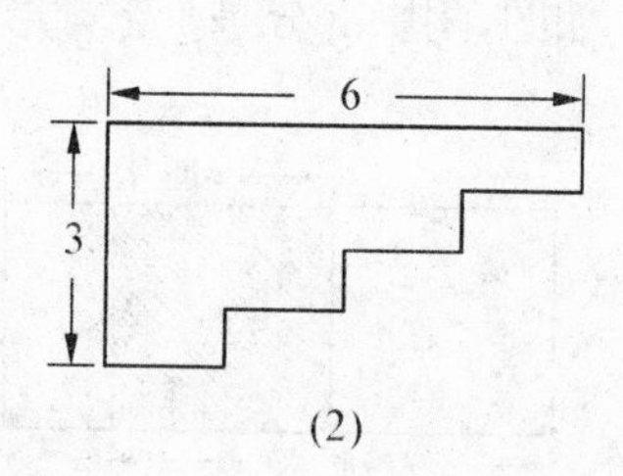

(2)

第 10 题

11 如图，一个正方形被分成 6 个大小、形状完全一样的长方形，每个长方形的周长都是 14 厘米. 原来正方形的周长是多少厘米？

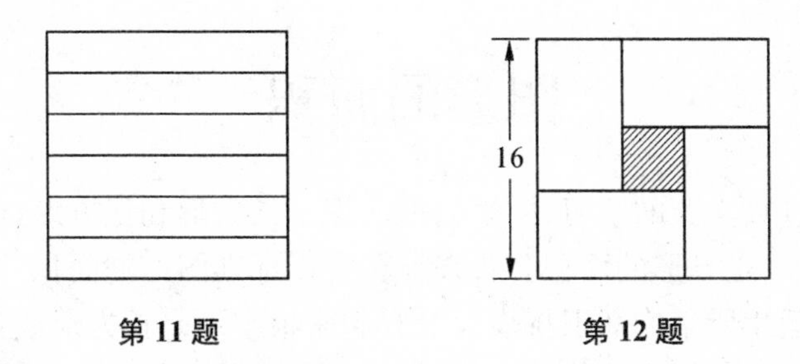

第 11 题　　　　第 12 题

12 如图，用 4 个一样大的长方形和一个小正方形，拼成一个边长是 16 分米的大正方形，每个长方形的周长是多少？

13 如图，把一个正方形分成甲、乙两个部分，比较甲、乙两个部分周长的长短，并求出乙的周长.（单位分米）

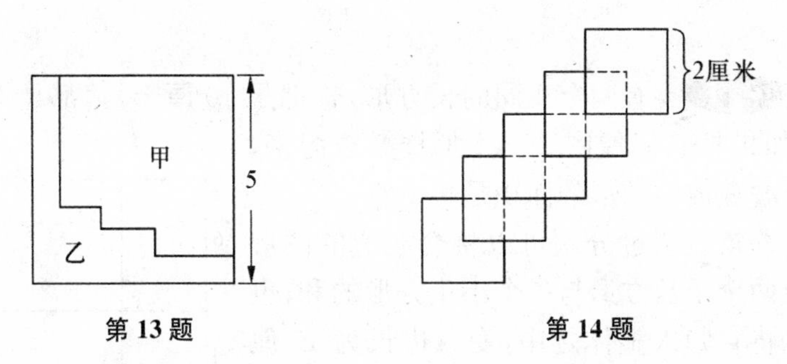

第 13 题　　　　第 14 题

14 如图是由五个小正方形组成，它们的边相互平行，且上面一个正方形的一个顶点正好是下面一个正方形的中心，求该图形的周长.

图形的面积

通过数学课的学习，同学们都认识了长方形和正方形，也会运用长方形、正方形的面积公式来计算它们标准图形的面积. 同学们能不能运用所学的知识将表面上看起来根本不是长方形或正方形的图形转化成标准的长方形和正方形图形，并进行面积的计算呢？

我们要学会观察、分析，通过添加辅助线或割补，运用一些平移、分解、合并等方法，使不规则的图形转化为已学过的基本图形来求解.

例 1 有两个相同的长方形，长都是 10 厘米，宽都是 4 厘米，如果把它们像图 25－1 那样叠放起来，这个叠放成的图形的面积是多少？

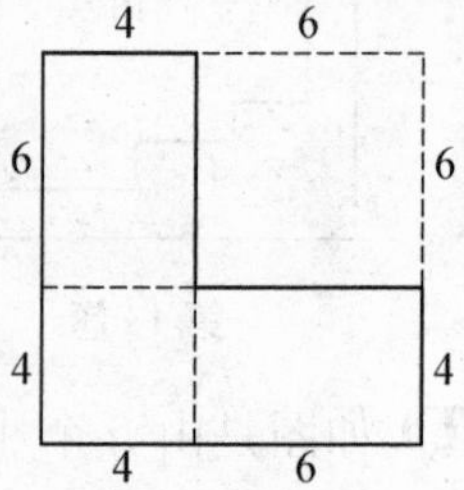

分析 通过分割可以将叠放成的图形变成两个小长方形与一个小正方形的和；也可以将它归入整体之中，变成边长为 10 厘米和 (10－4) 厘米的两个正方形之差.

图 25－1

解法一 $4\times(10-4)\times2+4\times4$

$=4\times6\times2+4\times4$

$=48+16=64$(平方厘米).

解法二 $10\times4\times2-4\times4=80-16=64$(平方厘米).

解法三 $10\times10-(10-4)\times(10-4)=100-36$

$=64$(平方厘米).

答 这个叠放成的图形的面积是 64 平方厘米.

例2 一张长方形纸片，在长边上剪下 10 厘米，宽边上剪下 5 厘米，余下的部分正好是一个正方形. 已知正方形面积比原长方形纸片面积少 140 平方厘米，求原长方形纸片的面积.

分析 根据题意画出图 25－2，分析如下：要求原长方形的面积，只要求出剪下的正方形面积，再加上 140 平方厘米即可. 图中，

$$S_A + S_B + S_C = 140(\text{平方厘米}).$$

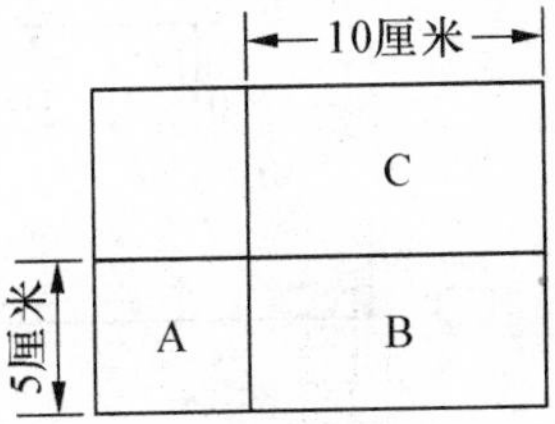

图 25－2

其中长方形 A 的长是正方形的边长，宽是 5 厘米；长方形 B 的长是 10 厘米，宽是 5 厘米；长方形 C 的长是 10 厘米，宽是正方形的边长. 所以，

$$S_A + S_C = 140 - 10 \times 5 = 90(\text{平方厘米}).$$

又因为 S_A＝正方形的边长×5，S_C＝正方形的边长×10，所以正方形边长为 $90 \div (5+10) = 6$(厘米). 于是，问题便迎刃而解.

解 正方形边长 $(140 - 10 \times 5) \div (5 + 10) = 6$(厘米).

原长方形纸片面积 $140 + 6 \times 6 = 176$(平方厘米).

答 原长方形纸片的面积为 176 平方厘米.

随堂练习 1

(1) 学校操场原来长 100 米，宽 80 米，扩建后长与宽分别增加 20 米，求这个操场面积增加多少平方米？

(2) 将一个长方形的长增加 1 厘米，宽增加 3 厘米，就变成一个正方形，面积增加 33 平方厘米，求原长方形的面积.

例3 如图 25－3 是学校操场一角，请你计算它的面积.（单位：米）

分析 图 25－3 是一个多边形，怎样使它成为我们所学过的

图形呢？可在图中添上一条辅助线(辅助线一般用虚线表示)，把多边形切割成上下两个长方形(如图 25-4)或左右两个长方形(如图 25-5)；也可以把多边形补完整，成为一个长方形(如图 25-6)；当然也可以把多边形切割成两个梯形(如图 25-7)等等.

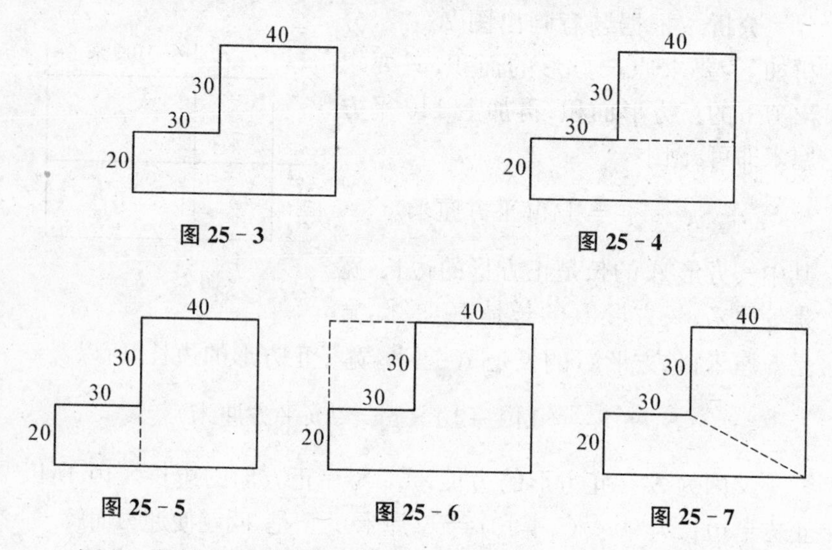

图 25-3　图 25-4　图 25-5　图 25-6　图 25-7

因此，本例有三种解法(分成梯形的解法同学们以后学习).

解法一　如图 25-4，

$$30\times40+20\times(30+40)$$
$$=1200+1400=2600(\text{平方米}).$$

解法二　如图 25-5，

$$20\times30+40\times(20+30)$$
$$=600+2000=2600(\text{平方米}).$$

解法三　如图 25-6，

$$(40+30)\times(20+30)-30\times30$$
$$=3500-900=2600(\text{平方米}).$$

答　学校操场一角面积有 2600 平方米.

例5 如图 25－8,在一个正方形的小花园周围,环绕着宽 5 米的水池,水池面积为 300 平方米,小花园面积是多少平方米?

分析 要想求出小花园的面积,必须知道小正方形的边长或大正方形的面积.因此解题的关键就在于根据水池的面积求出小正方形边长或大正方形的面积(或边长).

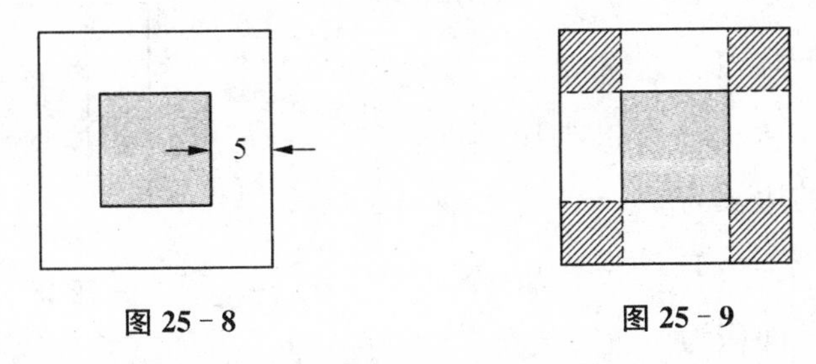

图 25－8　　图 25－9

解法一 如图 25－9 所示,水池中的四个小正方形面积的和为

$$5\times5\times4=100(\text{平方米}),$$

因此水池中的四个长方形面积的和为

$$300-100=200(\text{平方米}),$$

一个长方形面积为

$$200\div4=50(\text{平方米}),$$

长方形的长即小花园的边长为

$$50\div5=10(\text{米}),$$

花园面积为

$$10\times10=100(\text{平方米}).$$

综合算式得

$$(300-5\times5\times4)\div4\div5=200\div4\div5=10(\text{米}).$$

$$10 \times 10 = 100(\text{平方米}).$$

解法二 如图 25－10 所示，将环带形水池切割成四个面积相等的长方形，长方形的宽是 5 米，长等于小花园的边长加 5 米.

一个长方形面积为

$$300 \div 4 = 75(\text{平方米}),$$

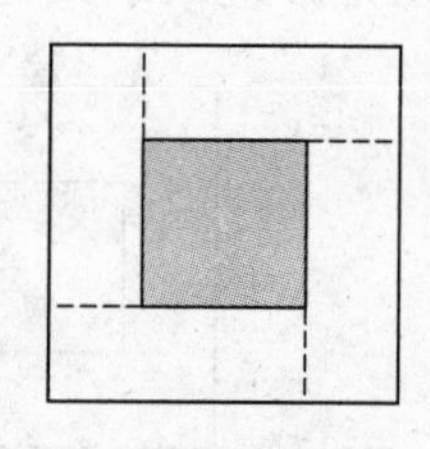

图 25－10

长方形的长为

$$75 \div 5 = 15(\text{米}),$$

小花园的边长为

$$15 - 5 = 10(\text{米}),$$

小花园的面积为

$$10 \times 10 = 100(\text{平方米}).$$

综合算式得

$$300 \div 4 \div 5 - 5 = 75 \div 5 - 5 = 10(\text{米}).$$

$$10 \times 10 = 100(\text{平方米}).$$

或大正方形边长为

$$300 \div 4 \div 5 + 5 = 20(\text{米}),$$

小花园面积为

$$20 \times 20 - 300 = 100(\text{平方米}).$$

答 正方形花园面积为 100 平方米.

随堂练习 2

(1) 某机器的零件示意图如图所示，请计算它的面积.（单位：厘米）

(2) 一个正方形的水池的周围，环绕着一条宽 3 米的路，小路的面积为 300 平方米，那么水池的面积是多少？

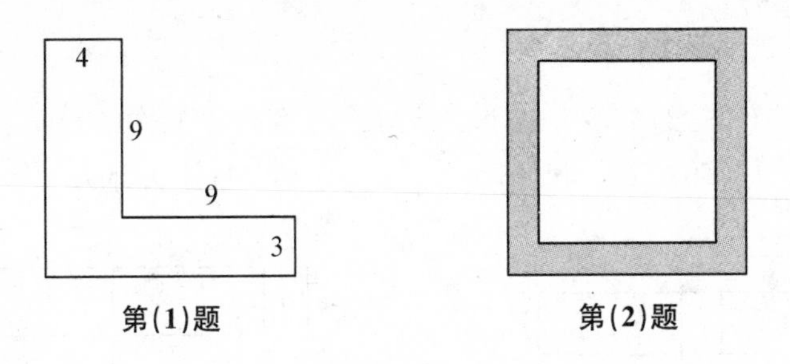

第(1)题　　　　第(2)题

例 5　如图 25 - 11,一块菜地长 16 米,宽 8 米,菜地中间留了宽 2 米的路,把菜地平均分成四块,每一块地的面积是多少?

分析　已知这块菜地的长和宽,就能求出这块菜地的总面积(大长方形),再减去道路的面积,就等于四小块菜地面积;也可以直接求出每小块菜地的长和宽,从而求出小块菜地的面积.

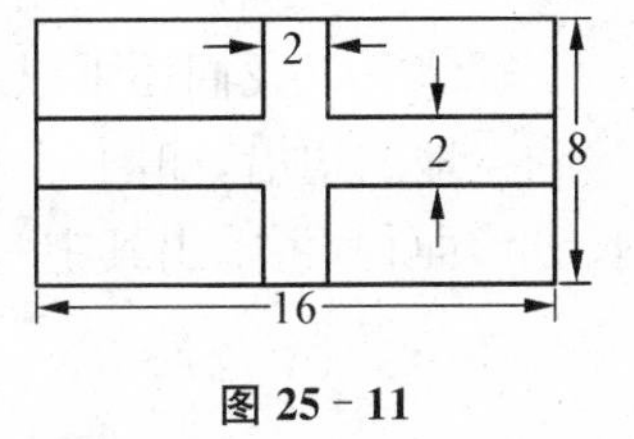

图 25 - 11

解法一　小块菜地宽为

$$(8-2)\div 2=3(\text{米}),$$

小块菜地长为

$$(16-2)\div 2=7(\text{米}),$$

小块菜地面积为

$$3\times 7=21(\text{平方米}).$$

解法二　如图 25 - 12,在计算道路面积时,要注意横道和竖道面积有一个重合部分,即虚线围成的小正方形,计算道路面积时,避免计算两次.

$$\begin{aligned}&2\times 8+2\times 16-2\times 2\\=&16+32-4\\=&44(\text{平方米}),\end{aligned}$$

或

$$(8-2)\times 2+16\times 2=12+32=44(\text{平方米}),$$
$$(16\times 8-44)\div 4=84\div 4=21(\text{平方米}).$$

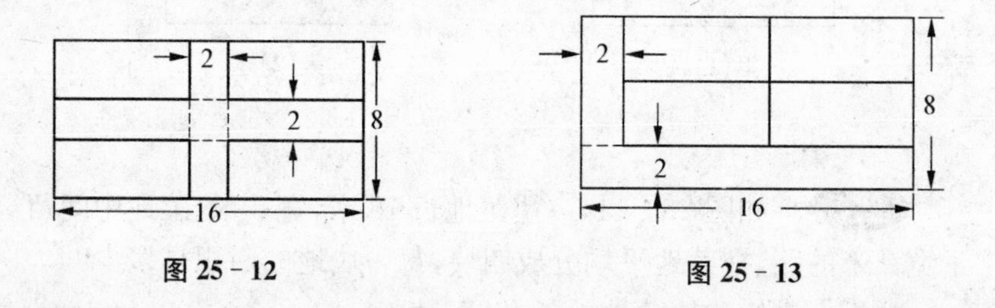

图 25 - 12　　　　图 25 - 13

解法三　我们还可以运用平移的办法(面积不变)将道路平行移到菜地的边沿,如图 25 - 13,先直接求出四个小长方形组成的长方形面积,再求出其中一个小长方形面积.

$$(16-2)\times(8-2)=14\times 6=84(\text{平方米}),$$
$$84\div 4=21(\text{平方米}).$$

答　每一块地的面积是 21 平方米.

说明　在解答比较复杂的关于长方形、正方形的周长和面积计算的问题时,生搬硬套公式往往不能奏效,这时需要运用移位、合并、分解、转化等解题技巧. 因此,敏锐的观察力和灵活的思维在解题中显得相当的重要.

例 6　用同样大小的长方形小纸片,摆成了如图 25 - 14 的形状,已知小纸片的宽度是 12 厘米,求阴影部分面积的和.

分析　由图看出,阴影部分面积等于大长方形的面积减去 22 个小长方形的面积和,但这样计算太复杂. 通过仔细观察和分析,我们可设法直接求出阴影部分的面积. 图中阴影部分是三个大小一样的小正方形,其边长是长方形小纸片的长与宽的差. 这也是用割补法求解的.

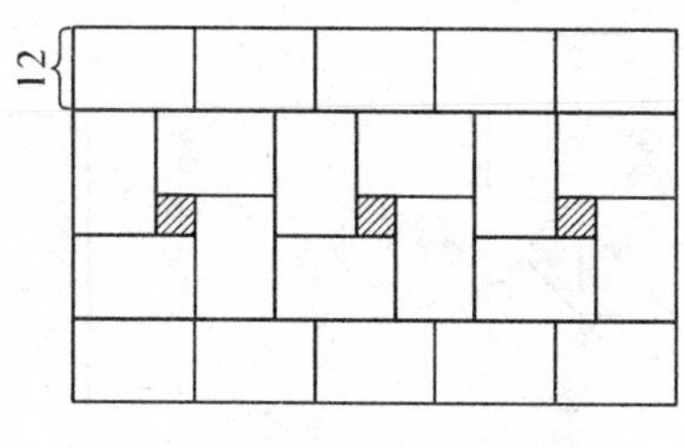

图 25－14

解 由于

5 个小纸片的长＝3 个小纸片的宽＋3 个小纸片的长，

即 2 个小纸片的长＝3 个小纸片的宽，

又 小纸片的宽＝12 厘米，

所以 2 个小纸片的长＝36 厘米，

即 1 个小纸片的长＝18 厘米.

因此，阴影部分的一个小正方形的边长为

$$(18-12)\text{厘米}=6\text{厘米}.$$

所以阴影部分的面积是

$$3\times 6^2=108(\text{平方厘米}).$$

答 阴影部分的面积和是 108 平方厘米.

说明 本题由于巧妙地运用了割补法，使解法简洁、流畅.

随堂练习 3

(1) 如图，大正方形的边长为 20 厘米，顺次连结正方形的各边中点得到第二个正方形，再这样连下去，阴影部分的面积是多少平方厘米？

(2) 如图，用两块长方形纸片和一块正方形纸片拼成一个大正方形，如果长方形纸片面积分别是 12 平方分米和 8 平方分米，那么原正方形面积是多少平方分米？

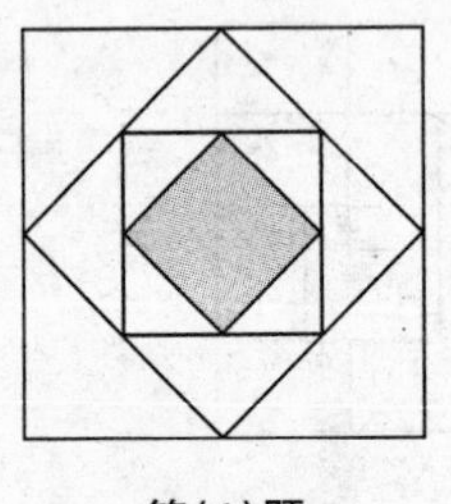

第(1)题

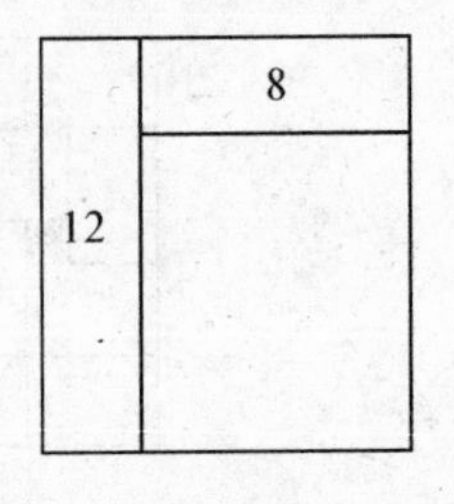

第(2)题

读一读

小数的起源

有人说,近代计算技术是在三大发明的基础上发展起来的,那么,其中一大发明就是小数.

我国对小数的认识在世界上是最早的.早在公元3世纪,我国古代伟大的数学家刘徽在注释《九章算术》中的平方根问题时就提出了十进位小数.接着我国唐朝天文学家南宫说,民间历法家曹士苏先后吸收了刘徽的思想,把小数用到了天文历法中去.公元八世纪,我国的小数思想传入印度,古代印度数学家在开平方开不尽时,也采取刘徽提出的继续开方用小数表示的办法.

虽然我国对小数的认识远远早于欧洲,但对十进位小数贡献最大的是荷兰工程师斯蒂文.

练 习 题

一、填空题

1 用一根长36厘米的铁丝围成一个正方形,它的面积是________平方厘米.

2 一个长方形周长是68厘米,长比宽的3倍少2厘米,它的面积是________平方厘米.

3 一个长方形,长 25 厘米,如果长减少了 5 厘米,就变成了正方形. 它的面积减少了________平方厘米.

4 如图的阴影部分是一个长方形的花坛,它的四周是用相同的正方形砌成的边框. 已知边框的面积是 60 平方米,那么花坛(不包括边框)的面积是________平方米.

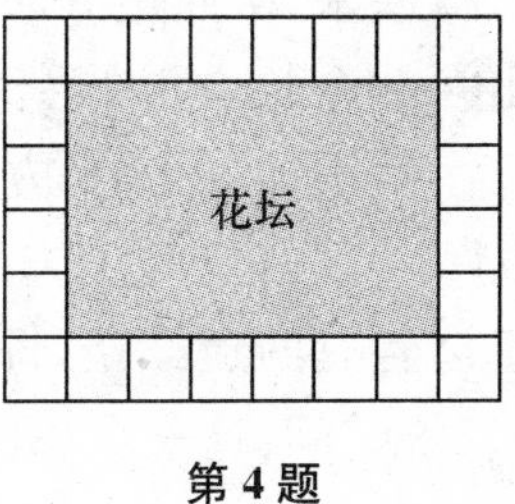

第 4 题

二、选择题

5 一个正方形的边长扩大到原来的 2 倍,它的面积扩大到原来的(　　)倍.

(A) 2　　(B) 4　　(C) 8　　(D) 16

6 边长为 4 厘米的正方形,它的面积和周长相比是(　　).

(A) 面积大　　(B) 周长大　　(C) 一样大　　(D) 不可比

三、简答题

7 如图,有一块长方形土地,长是宽的 2 倍,中间有一座雕塑,雕塑的底面是一个正方形,周围是草坪,草坪的面积是多少平方米?

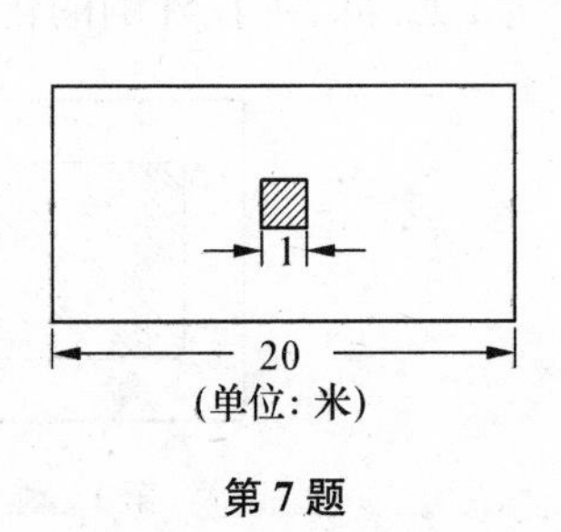

第 7 题

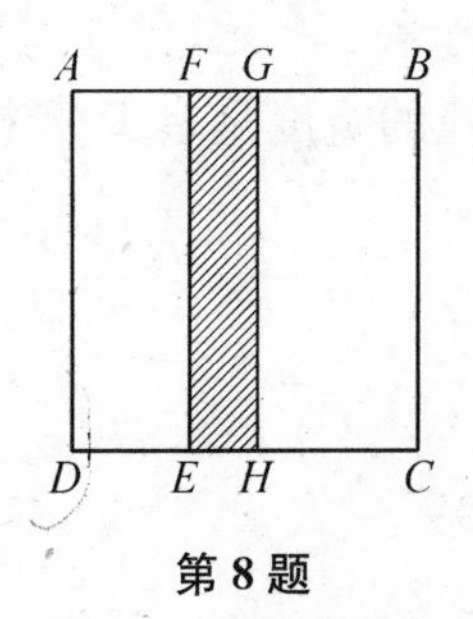

第 8 题

8 如图,已知正方形 $ABCD$ 的边长为 6 分米,长方形 $BCEF$ 和长方形 $AGHD$ 的面积分别为 24 平方分米和 20 平方分米,求阴影部分的面积.

9 一个正方形,如果边长增加 2 厘米,它的面积就增加 16 平方厘米,求原正方形面积.

10 一个长方形的宽增加 4 厘米,就成了一个正方形,这样面积就增加了 48 平方厘米,求原来长方形的面积.

11 一条白色的正方形手帕,它的边长是 18 厘米,手帕上横、竖各有两道红条,即为如图所示的阴影部分,红条宽都是 2 厘米. 问:这条手帕白色部分的面积是多少?

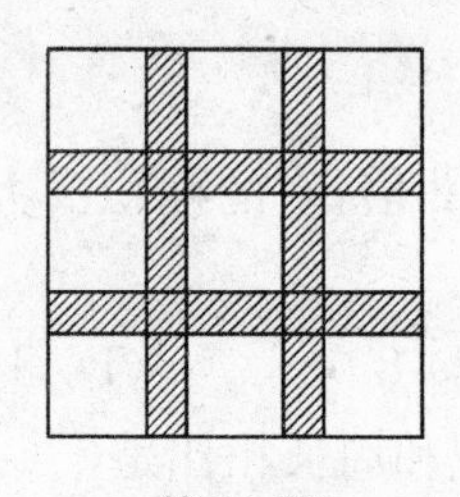

第 11 题

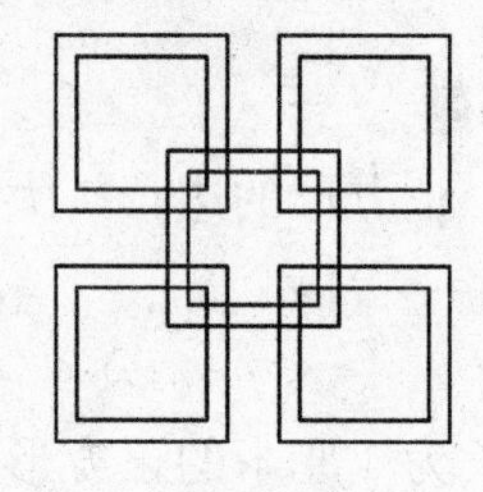

第 12 题

12 如图,边长是 10 厘米的正方形纸片,正中间挖去了一个正方形的洞,成为宽度为 1 厘米的方框,把五个这样的方框放在桌面上,问:桌面上这些方框盖住的面积是多少平方厘米?

13 如图,正方形客厅边长 12 米,若正中一块正方形铺纯毛地毯,外围铺化纤地毯,共需费用 22 455 元. 已知纯毛地毯每平方米 250 元,化纤地毯每平方米 35 元. 问:铺在外围的化纤地毯的宽度是多少分米?

第 13 题

第26讲

添运算符号和括号

我们把“3＋5”、“20÷4”、“(3＋7)×6”、“100－75÷5”……都称之为算式.算式是由数(整数、小数、分数)及运算符号(＋、－、×、÷)和括号组成的,均可求出结果.如果只给出一些数及运算符号要组成结果是一定的算式,就比较困难了.

解答添运算符号和括号的问题时,可以采用从后面开始想的逆推法,也可以采用从头开始想的凑数法,还可以用计算法.逆推法思路比较固定,容易掌握,但分析头绪多,计算繁杂;凑数法方法简便,比较灵活,需要更多的机智和灵巧;计算法合理而快捷,能够培养同学们思维的灵活性和敏捷性.

例1 用1～5这五个数以及“＋、－、×、÷”四个运算符号,组成得数为8的算式(可添括号).

分析 五个数(次序不论)之间添上四个运算符号,组成的算式当然是很多的,但要使算式的得数是8就不太多了.我们可以用逆推法求解,即以最后一步用什么方法作为推导基础.

解 (1) 最后一步用加法:$(4\div2-1)\times3+5=8$,

$(5-3)\times2+4\div1=8,\cdots$

(2) 最后一步用减法:$4\div2\times5+1-3=8$,

$2\times5-(4+1-3)=8,\cdots$

(3) 最后一步用乘法:$(4-2-1)\times(3+5)=8$,

$[(5-3)\div2+1]\times4=8,\cdots$

(4) 最后一步用除法：$(5+2-1)\times 4\div 3=8$，

$[3\times 4+(5-1)]\div 2=8$，…

例2 有四张数字卡片：[2]、[3]、[4]、[6]，再添上三个运算符号(可用括号)组成一个等于24的算式(这种题型是我们通常说的“抢24”的游戏)．

分析 四个数的次序不论先后，四种运算符号也可随意使用，且允许有相同的运算符号．

解 (1) $3\times 6+4+2=24$；

(2) $4\times 6\div(3-2)=24$；

(3) $2\times 6+3\times 4=24$；

(4) $(6+4-2)\times 3=24$；

…

请同学们再列出几种不同的算式．这种数学游戏，可以提高口算能力，培养思维的敏捷性．

随堂练习1

(1) 如果例1的条件不变，要使组成的算式得数为22，你会做吗？请同学们试一试．

(2) 用各种运算符号及括号，将5，6，7，8这四个数组成一道等于24的算式．

例3 在下面五个数之间添上四个运算符号(也可用括号)，使下列等式成立．

$$1\quad 2\quad 3\quad 4\quad 5=1$$

分析 此题五个数的顺序是不能变动的，可采用凑数法进行思考．若前四个数可组成5，就有解如：$[(1+2)\times 3-4]\div 5=1$；若前四个数可组成6，就有解如：$1\div 2\times 3\times 4-5=1$；还有一种有趣的解是：$1 \div (2 + 3) + 4 \div 5 = 1$，等等.

解 (1) $[(1 + 2) \times 3 - 4] \div 5 = 1$；

(2) $1 \div 2 \times 3 \times 4 - 5 = 1$；

(3) $1 \div (2 + 3) + 4 \div 5 = 1$.

说明 此题还有别的解，请同学们试一试.

例 4 把“＋、－、×、÷”填在圆圈中，并在方框中填上适当的整数，使下面的两个等式都成立，这时方框中的数是多少？

$$9 \bigcirc 13 \bigcirc 7 = 100 \qquad 14 \bigcirc 2 \bigcirc 5 = \square$$

分析 此题要考虑两个等式都成立，因此，我们在分析时应当用尝试法来思考.

解 除号必须用在 $14 \div 2$ 中（否则不能整除），第一个式子里必须有乘号（因为 9，13，7 都比 100 小得多），尝试可知第一个式子应为

$$9 \oplus 13 \otimes 7 = 100.$$

第二个式子应为 $14 \textcircled{\div} 2 \ominus 5 = \boxed{2}$.

这时方框中的数是 2.

随堂练习 2

(1) 将 1～9 这九个数字在下式的圈内补齐.

$$\bigcirc \times \bigcirc = 5\bigcirc \qquad 12 + \bigcirc - \bigcirc = 8$$

(2) 在 5 个 3 之间添上适当的运算符号“＋、－、×、÷”和“(　　)”，使得下面的算式成立.

$$3 \quad 3 \quad 3 \quad 3 \quad 3 = 5$$

例 5 在下面算式等号左边的每两个数之间添上加号或减

号，使等式成立.

$$1\ \ 2\ \ 3\ \ 4\ \ 5\ \ 6\ \ 7\ \ 8\ \ 9=15$$

分析　因为 $1+2+3+\cdots+9=45$，45 比 15 大，因此 15 可以看成是加上数的和与减去数的和之间的差. 这样可以用(和－差)÷2，求得减去数的和为 $(45-15)\div2=15$，而 15 可以表示成：$6+9$、$7+8$、$3+5+7$ 等.

解　(1) $1+2+3+4+5-6+7+8-9=15$；

(2) $1+2+3+4+5+6-7-8+9=15$；

(3) $1+2-3+4-5+6-7+8+9=15$.

说明　在小学里学习的减法只能是大数减小数，但到中学后，学了“负数”，上题的解就不仅仅是三个解，因为 2 个或 2 个以上的数相加的和为 15 的还有 $2+4+9$，$1+2+3+4+5$，…

所以下列算式也是对的.

$$1-2+3-4+5+6+7+8-9=15;$$

$$-1-2-3+4+5+6+7+8-9=15;$$

$$-1-2-3-4-5+6+7+8+9=15.$$

例 6　在下面各数之间(相邻的数可看作两位数)只准填上加号，使等式成立. 一共有几解？

$$1\ \ 2\ \ 3\ \ 4\ \ 5\ \ 6\ \ 7\ \ 8\ \ 9=99$$

分析　如果 9 个数都是一位数的话，其和为 45，这就少了 $99-45=54$，这 54 应从哪里来呢？因为相邻的两个数可以看成是两位数，而这个两位数的值比相应的两个一位数的和多多少呢？我们来举例说明：

$$12-(1+2)=9\rightarrow1\times9$$

$$56-(5+6)=45\rightarrow5\times9$$

如果用字母表示，则有：

$$
\begin{aligned}
&[10a+(a+1)]-[a+(a+1)]\\
=&(11a+1)-(2a+1)\\
=&11a+1-2a-1\\
=&9a.
\end{aligned}
$$

即增加的数就是这两位数的十位上的数的 9 倍，所以 $54\div9=6$ 这个两位数十位上的数是 6，就要把 6 和 7 看作是 67，就增加 54. 而 6 又可以分解为 $1+5$，$2+4$，$3+3$（不可能有两个 3 故去掉），所以又有两个解.

解 (1) $1+2+3+4+5+67+8+9=99$；

(2) $12+3+4+56+7+8+9=99$；

(3) $1+23+45+6+7+8+9=99$.

随堂练习 3

如果例 6 的式子改成下面的样子，你会解吗？

1　2　3　4　5　6　7　8　9 = 108

读一读

天干计时法

在中国古代的历法中，甲、乙、丙、丁、戊、己、庚、辛、壬、癸被称为“十天干”，子、丑、寅、卯、辰、巳、午、未、申、酉、戌、亥叫做“十二地支”. 古人用天干地支来表示年、月、日、时.

天干计时法是以地支为主，把一天的时间，按“地支”的顺序分为 12 个“时辰”，从每天的 23 点开始为子时，而后依次是丑、寅、卯、辰、巳、午、未、申、酉、戌、亥时等. 每个“时辰”，相当于现在的两个小时，循环一次正好是二十四小时. 古今时间对照如下表：

“天干”计时法（古）	子时	丑时	寅时	卯时	辰时	巳时	午时	未时	申时	酉时	戌时	亥时
24 时计时法（今）	23 点—1 点	1 点—3 点	3 点—5 点	5 点—7 点	7 点—9 点	9 点—11 点	11 点—13 点	13 点—15 点	15 点—17 点	17 点—19 点	19 点—21 点	21 点—23 点

练 习 题

1 在下面五个 5 之间，添上适当的运算符号（也可用括号），使算式成立.

$$5\quad 5\quad 5\quad 5\quad 5=10$$

请同学们至少用三种以上的不同方法解答.

2 添上运算符号（也可用括号），使等式成立：

$$1\quad 2\quad 3=1;$$
$$1\quad 2\quad 3\quad 4=1;$$
$$1\quad 2\quad 3\quad 4\quad 5=1;$$
$$1\quad 2\quad 3\quad 4\quad 5\quad 6=1;$$
$$1\quad 2\quad 3\quad 4\quad 5\quad 6\quad 7=1;$$
$$1\quad 2\quad 3\quad 4\quad 5\quad 6\quad 7\quad 8=1.$$

3 把下面每组数组成得数为 24 的算式.

(1) 4，4，10，10；

(2) 2，2，5，10.

4 添上运算符号使等式成立.（用两种方法）

(1) $3\quad 3\quad 3\quad 3\quad 3=10$；

(2) $8\quad 8\quad 8\quad 8\quad 8=63$.

5 将“+、−、×、÷”四种运算符号分别填入下面各式的圆圈中，不能重复，使等式成立. 这时方框中的数是多少？

48◯6◯5 = 3　　　　1◯2◯7 = □

6 给下面的式子加上括号，使它们成为正确的等式.

(1) $7 \times 9 + 12 \div 3 - 2 = 47$；

(2) $7 \times 9 + 12 \div 3 - 2 = 35$.

7 你能将 2，4，5，8，利用"+、-、×、÷"和括号组成一个结果为 24 的算式吗？你能有几种解法？

8 将 1～9 这九个数字填入圈中，使等式成立.（每个数字使用一次）

◯×◯-◯=◯◯÷◯◯+◯=◯

9 在 5 个 3 之间，添上适当的运算符号"+、-、×、÷"和括号，使等式成立.

(1) 3　3　3　3　3 = 0；

(2) 3　3　3　3　3 = 1；

(3) 3　3　3　3　3 = 2；

(4) 3　3　3　3　3 = 3；

(5) 3　3　3　3　3 = 4.

10 在下面算式中添上一个括号，使等式成立.

$$1 + 2 \times 3 + 4 \times 5 + 6 \times 7 + 8 \times 9 = 303$$

第27讲

最大和最小

在日常生活、生产劳动、商业贸易、科学研究、决策运筹中，经常会遇到这样一类问题：怎样安排时间最省、怎样行走路线最短、怎样管理费用最低、怎样设计面积最大、怎样合作效率最高、怎样加工利用率最大等等. 它们都可以归结为在一定范围、一定条件下求最大值或最小值.

小学数学竞赛中涉及的这类问题，没有固定的模式，方法多样，解答时要认真审题，根据题目的具体特点，仔细分析，深入思考，灵活、辩证地选择解法.

例1 a、b 是 1, 2, 3, …, 99, 100 中的两个不同的数，求 $\frac{a+b}{a-b}$ 的最大值.

分析 要使 $\frac{a+b}{a-b}$ 的值最大，必须让分母最小，分子最大. $a-b$ 的最小值应是 1，即 a、b 是两个连续自然数；$a+b$ 的最大值是 199，即 $a=100$, $b=99$.

解 当 $a=100$, $b=99$ 时，$\frac{a+b}{a-b}$ 有最大值

$$\frac{100+99}{100-99}=199.$$

说明 题中 a、b 是两个变量，通过对它们的控制，使得分数 $\frac{a+b}{a-b}$ 的分子最大，分母最小，从而确保 $\frac{a+b}{a-b}$ 的值最大. 题目虽然

简单，但其中体现的考察极端情形的方法，十分有用. 因为最大值、最小值本身就是一种极端情形.

例2 有40枚棋子分别放入8个盒子里，要使每个盒子里都有棋子，那么其中的一个盒子里，最多能有多少枚棋子？

分析 要使一个盒子里的棋子最多，而其他的7个盒子里的棋子都最少，那么只需要在这7个盒子中都只放1枚，则一个盒子里的最多棋子数为 $40-7=33$（枚）.

答 其中的一个盒子里，最多能有33枚棋子.

随堂练习1

（1）数字和等于23的最小偶数是多少？

（2）从十位数7 677 782 980中划去5个数字，使剩下的5个数字（先后顺序不改变）组成的五位数最小. 这个最小的五位数是多少？

例3 一把钥匙只能开一把锁，现在有5把钥匙5把锁，但不知哪把钥匙开哪把锁，最多要试多少次才能配好全部的钥匙和锁？

分析 开第1把锁，从最坏的情况考虑，试了4把钥匙还未成功，则第5把不用再试了，它一定能打开这把锁. 同样的道理，开第2把锁最多试3次，开第3把锁最多试2次，开第4把锁最多试1次，最后剩下的一把钥匙一定能打开剩下的第5把锁，用不着再试.

解 最多（也就是按最不凑巧的情况考虑）要试的次数为

$$4+3+2+1=10（次）.$$

例4 将5，6，7，8，9，0这六个数字填入下面算式中，使

乘积最大.

$$\square\square\square \times \square\square\square$$

分析 先考虑一个比较简单的问题:怎样把 6, 7, 8, 9 这四个数填入$\square\square \times \square\square$中,可使乘积最大.显然,两个十位数应当分别填 9 和 8,然后比较:

$$97 \times 86 = 8342,$$
$$96 \times 87 = 8352.$$

可见,题目中两个三位数的前两位应当分别是 96 和 87.

再比较:

$$960 \times 875 = 840\,000,$$
$$965 \times 870 = 839\,550.$$

解 乘积最大是 960×875.

随堂练习 2

(1) 右面是一个乘法算式,问:当乘积最大时,所填的四个数字的和是多少?

$$\begin{array}{r} \square\square \\ \times \quad 5 \\ \hline \square\square \end{array}$$

(2) 现有 10 对钥匙和锁混放在一起,不知道哪把钥匙配哪把锁.至多要试开多少次,可把它们全部配成对.

例 5 把 12 分解为两个自然数的和,使它们的积最大,求这个最大值.

分析 我们先进行一些试验,从中观察规律.

$$12 = 1 + 11 \rightarrow 1 \times 11 = 11,$$
$$12 = 2 + 10 \rightarrow 2 \times 10 = 20,$$
$$12 = 3 + 9 \rightarrow 3 \times 9 = 27,$$
$$12 = 4 + 8 \rightarrow 4 \times 8 = 32,$$
$$12 = 5 + 7 \rightarrow 5 \times 7 = 35,$$

$$12 = 6 + 6 \rightarrow 6 \times 6 = 36.$$

我们看到，随着拆成的两个数越来越接近，积越来越大. 由此猜想：把 12 拆成两个相等的数（即 6）时，乘积最大.

解 把 12 分成相等的两数之和：$12 = 6 + 6$，它们的积最大，为 $6 \times 6 = 36$.

想一想 例 5 告诉了我们什么规律？例 4 中比较 97×86 与 96×87 的大小，是不是可以用这条规律？

说明 列举比较法是获得最大数和最小数的常用方法.

下面的规律应当记住：

两个数和一定，那么当它们的差越小，它们的乘积越大；当它们的差最小（或两数相等）时，它们的乘积最大.

例 6 100 名村民代表选举村委会主任，有三位候选人甲、乙、丙，每人只能选他们中的一人，不能弃权. 前 80 票中，甲得到 38 票，乙得到 32 票，丙得到 10 票，规定谁的票最多谁当选，甲若要当选，最少还需要多少张票？

分析和解 从已知条件可知，100 名村民代表，已选 80 张还剩下 $100 - 80 = 20$（张）选票. 如果这 20 张票全都选丙，丙得 $10 + 20 = 30$（张）票，还比甲、乙都少，所以丙不可能当选.

我们再来分析甲和乙的选票，除去丙已得的 10 张票，甲和乙两人最多共可得 90 张票，为保证甲当选，则甲至少需要 46 票，还需要 $46 - 38 = 8$（张）票.

答 若甲要当选，最少还需要 8 张票.

随堂练习 3

(1) 一个五位数与 9 的和是没有重复数字的最小五位数，则原来五位数的个位数字是什么？

(2) 把 1，2，3，4，5，6，7，8 填入下面算式，使得数最大，这个最大得数是多少？

$\square\square\square\square-\square\square\times\square\square$

读一读

一条好建议获奖 1000 万美元

在美国,有一座很有名的大桥,叫金门大桥.

据说当年大桥建好不久就发生了堵车的现象,为此有关当局开始筹资建设第二座金门大桥,并征集建桥方案.此时,一位年轻人提议:将现有的“4+4”八车道模式,按不同时段的交通流量调整为“6+2”和“2+6”模式.上、下班的车流因时段不同在桥面两个“半边”分布并不均匀,高峰时往往会出现半幅路面高负荷拥堵,半幅路面利用不充分的现象.当局采纳了他的意见.

结果,大桥塞车问题迎刃而解,那位年轻人由此获得 1000 万美元的高额奖金.他提出的好点子,他的创新思维,不仅省去了再建金门二桥的上亿元费用,同时也节约了公共资源.

练 习 题

一、填空题

1 有两个同心圆,一个半径 5 米,另一个半径为 12 米.有两只小虫分别沿着这两个圆爬,要使它们相距最远,最远距离是________米;要使它们相距最近,最近距离是________米.

2 有甲、乙两个整数的和是 20,甲数为________,乙数为________时,它们的乘积最大为________.

3 有红、黄、蓝、绿四种不同颜色的气球共 35 个,要从中任意取出 A 个气球,并且保证其中至少有 3 个气球颜色相同,A 的最小值是________.

4 有一个 100 人的旅游团,其中男 60 人,女 40 人,旅馆有 11

人、5 人、7 人住的三种房间，男、女分住不同房间，至少需要住________个房间.

5 如图，一条公路两旁有四个停车场 A、B、C、D. 现在要在这条公路上建一个加油站，使四个停车场到加油站的距离之和最短，这个加油站应建在________.

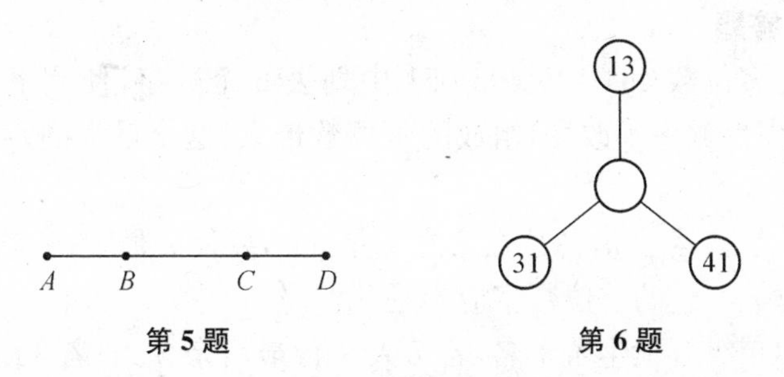

第 5 题　　　　第 6 题

6 如图，在中间圆圈内填一个数，计算每一线段两端的两数之差(大减小)，然后算出这三个差数之和. 要使这个和尽可能小，圆圈中应填的数是________.

二、选择题

7 用卡片1、9、9、5排成四位数，其中最大数与最小数的和是(　　). (卡片可颠倒使用)

(A) 11 550　　(B) 11 517

(C) 8217　　(D) 8250

8 甲、乙两人要到沙漠中探险，他们每天可向沙漠深处走 35 千米，每人最多携带 27 天的食物和水，如果不准将部分食物存放于途中，那么其中一人最远可以深入沙漠(　　). (要求两人最后都要返回出发点)

(A) 630 千米　　(B) 510 千米

(C) 740 千米　　(D) 670 千米

9 5 条直线最多可把平面分成(　　).

(A) 22 个部分　　(B) 16 个部分

(C) 24 个部分　　(D) 12 个部分

10 有一篮鸡蛋,如果每次取出 3 个,最后剩下 1 个;如果每次取出 5 个或者 7 个,最后都剩下 4 个. 篮里的鸡蛋至少有(   ).

(A) 105 个　　(B) 109 个

(C) 214 个　　(D) 205 个

三、简答题

11 在多位数 464 748 495 051 中划去 6 个数字,使剩下的数字(先后顺序不改变)组成的六位数最大. 这个最大的六位数是多少?

12 一个自然数 n,各位数字之和是 300,要使 n 最小,n 应当是几位数? 它的首位数字应当是几?

13 四年级有学生若干名,若 7 人一行最后余 3 人;若 11 人一行最后余 5 人. 四年级最少有学生多少人?

14 有 A、B、C 共 3 人,从地点 P 到地点 Q 的距离为 3 千米,每个人可以每小时 3 千米的速度步行. 在地点 P 有两辆自行车,如果使用自行车,速度可达到每小时 15 千米,但每辆自行车只能一个人骑. 问:怎样才能在最短的时间内使 3 个人都到达地点 Q?

第28讲

统筹安排

我国古代有一句话:“运筹于帷幄之中,决胜于千里之外.”后人用这句话来形容领导者在后方筹划、制定作战策略,能决定千里之外的战争胜负.这里“运筹”是制定策略、策划、统筹安排的意思.

在日常生活学习和生产、工作中经常遇到一些事情需要我们进行合理的安排,既要在某一段时间内做好几件事情或完成各项任务,还要考虑到尽可能精打细算,节省时间、人力和物力,从而发挥出最大的效率.

下面,我们将通过一些同学们可以理解的例子帮助大家掌握统筹安排的方法.

例1 仓库里有一批8米长的钢筋,现在要截出3米长的毛坯40根,2米长的毛坯40根,试设计最省料的下料方案.问:要几根原材料?

分析 首先把一根8米长的钢筋截成两种毛坯的不同方法一一枚举,如下表所示;然后把不同方法组合起来,使达到题目的要求,就构成一个下料方案.

毛坯 \ 根数 \ 方法	一	二	三
3米	2	1	0
2米	1	2	4
残料	0	1	0

要使原材料最省，应该尽量不用有残料的方法二. 从上表看出，要截 3 米毛坯 40 根，可采用方法一截 20 根原材料，这时得到 3 米毛坯 40 根，2 米毛坯 20 根，再用方法三截 5 根原材料，可得 2 米长毛坯 20 根，合起来正好满足题目要求.

解 按方法一截 20 根 8 米的材料，按方法三截 5 根 8 米长的材料，共用原材料 25 根.

说明 从这个例子我们看到，尽管使用的数学知识不多，但也可以为增产节约服务.

例 2 小明清早起来洗脸、刷牙、叠被子需要 8 分钟，做保健操需用 6 分钟，洗杯子、拿奶粉又用 2 分钟，烧开水需 15 分钟. 请你安排一下做这几件事情的顺序，使小明尽快地喝到牛奶总共需要几分钟？

分析 如果按照题目的叙述顺序去做每件事，那么共需要用 $8+2+6+15=31$（分钟）. 但这样做我们不难发现：在烧开水的 15 分钟里，小明未做其他事情，因此可以充分利用这段时间，同时干其他的事情.

所以，小明起来后先烧开水，同时可以干其他几件事情，作图 28－1 示意如下：

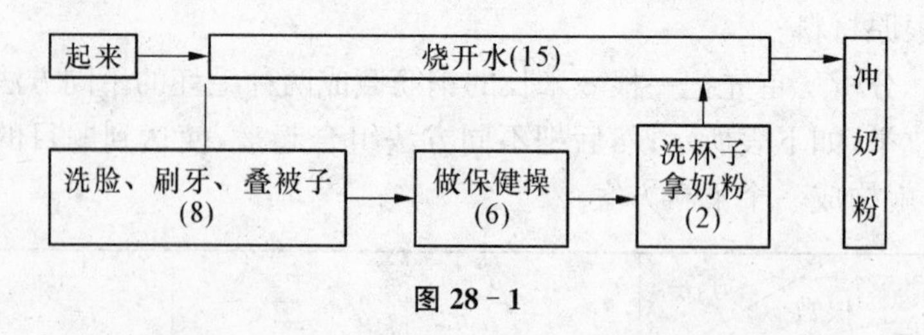

图 28－1

解 按照图 28－1 的工序流程图，小明做完这几件事需要的最少时间是：

$$8+6+2=16\text{(分钟)}.$$

答　使小明尽快喝到牛奶总共只需 16 分钟.

说明　由于科学的安排,使原来需用 31 分钟时间所做的几件事只用了 16 分钟,其中单独用于烧开水的 15 分钟(不用人操作)节省了.

随堂练习 1

(1) 芳芳要为奶奶冲杯热果汁,可是开水用完了.她需要烧开水(6 分钟),打开果粉瓶(1 分钟),洗茶杯(2 分钟).让奶奶喝上热果汁最少需要几分钟?

(2) 长 41 厘米的钢条要截成长 3, 5, 7 厘米的三种毛坯,每种至少有 1 根,而且没有残料.问:有几种截法?如何截?

例 3　放假期间,小丽跟着妈妈学烧鱼.她有条理地做如下几件事:洗鱼、切姜片、洗锅、将锅烧热、把油烧热、煎鱼,分别用 2 分钟、1 分钟、2 分钟、1 分钟、1 分钟、10 分钟.问:小丽烧好鱼至少要用几分钟?

分析　因为烧鱼过程中,锅烧热和油烧热共需要的 $1+1=2$(分钟)内,不需要人去操作,因此可以利用这段时间安排干其他的事.工作顺序示意图如图 28 - 2:

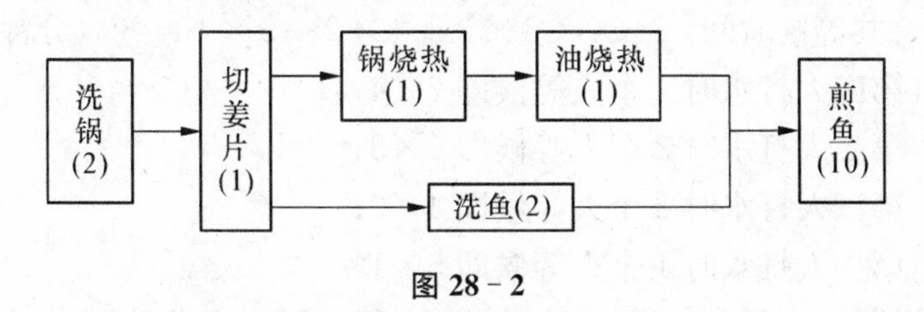

图 28 - 2

解　由于锅烧热与油烧热时间和不大于洗鱼所用的时间,依据图 28 - 2 的工序示意图得出烧鱼的最少时间是

$$2+1+2+10=15(\text{分钟}).$$

答　小丽烧好鱼至少要用 15 分钟.

例 4 学校大扫除,四位同学各拿大小不一的桶一同去打水,注满这些水桶,第一人的需用 5 分钟,第二人的需用 3 分钟,第三人的需用 4 分钟,第四人的需用 2 分钟. 现只有一个水龙头,应如何安排这四个人打水次序,使他们花费的等候时间总和最少,这个时间等于多少?

分析 我们这样想:就第一人和第四人来说,如先安排第一人先打水需 5 分钟,这样第一人等候了 5 分钟,而第四人除了等第一人灌满 5 分钟外再加上自己打水灌 2 分钟,这样共需 7 分钟,两人总等候时间是 $5+5+2=12$(分钟);

如果先安排第四人打水,第四人等候了 2 分钟,第一人接着灌满自己水桶后等候了 $2+5=7$(分钟),两人总等候时间是

$$2+2+5=9\text{(分钟)},$$

比前一种方案少用了时间.

因此,我们得出这样的安排原则:把占用时间少的事情先进行.

解 按照"占用时间少的事情先进行"的原则,打水顺序为:第四人、第二人、第三人、第一人.

总共等候时间:$2\times4+3\times3+4\times2+5\times1=30$(分钟).

(第四人打水时 4 个人等候即 2×4;

第二人打水时 3 个人等候即 3×3;

第三人打水时 2 个人等候即 4×2;

第一人打水时 1 个人等候即 5×1)

说明 在日常生活、生产建设、工程、贸易、企业管理中,经常遇到诸如此类希望通过科学的安排以达到费时较少、用料较省、收效较大的问题,我们统称为统筹安排问题.

随堂练习 2

(1) 小林为家里做饭,他择菜要 8 分钟,洗菜要 5 分钟,淘米

用 2 分钟，煮饭用 15 分钟，切菜用 4 分钟，炒菜用 6 分钟. 如果只有单火头煤气灶，做完这些事情至少需要多少分钟?

(2) 小李、小王和小赵三人同时去某医院治病，小李打针需 5 分钟，小王换药需 3 分钟，小赵按摩治伤需 15 分钟. 张医生如何安排他们的治疗顺序使得三人等候时间总和为最少?

例 5 如图 28－3，在一条公路上，每隔 100 千米有一个仓库，共有 5 个仓库. 一号仓库有 10 吨货物，二号仓库有 20 吨货物，五号仓库有 40 吨货物，其余两个仓库是空的，现在要把所有货物集中到一个仓库里，如果每吨货物运输 1 千米需要 1 元运费，那么最少的运费是多少元?

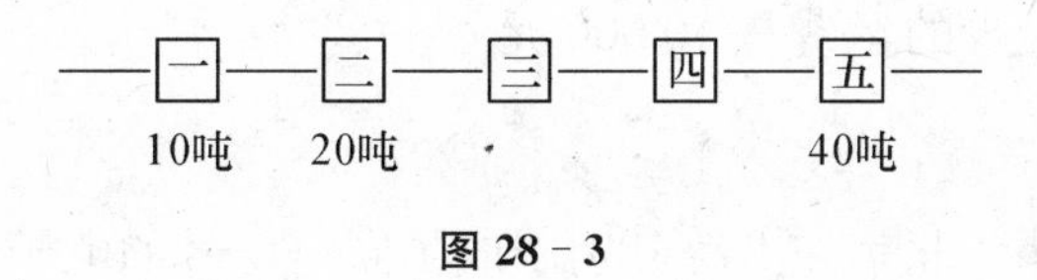

图 28－3

分析 这个问题实质上就是一个库址选择问题. 我们把图 28－3改成图 28－4. 相当于 A、B、E 各有货物 10 吨，20 吨，40 吨，要在 A、B、C、D、E 五点中找一个地方把货物集中起来，使货物运行的总吨千米数最少.

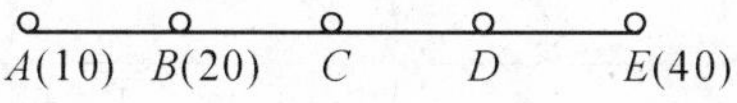

$A(10)$ $B(20)$ C D $E(40)$

图 28－4

(1) 若库址选在 A 点，则总运费是

$$1\times(20\times100+40\times400)=18\,000(\text{元});$$

(2) 若库址选在 B 点，则总运费是

$$1\times(10\times100+40\times300)=13\,000(\text{元});$$

(3) 若库址选在 C 点,则总运费是

$$1\times(10\times 200+20\times 100+40\times 200)=12\,000(\text{元});$$

(4) 若库址选在 D 点,则总运费是

$$1\times(10\times 300+20\times 200+40\times 100)=11\,000(\text{元});$$

(5) 若库址选在 E 点,则总运费是

$$1\times(10\times 400+20\times 300)=10\,000(\text{元}).$$

综上所述,按小往大靠原理,货物应运往 E 处.

解 按小往大靠原理,货物应运往 E 处,最少运费是

$$1\times(10\times 400+20\times 300)=10\,000(\text{元}).$$

答 最少的运费是 10 000 元.

例 6 北京和上海分别制成了同一型号的电子计算机若干台,除本地应用外,北京可支援外地 10 台,上海可支援外地 4 台.现在决定给重庆 8 台、汉口 6 台,若每台计算机的运费如下表(单位:元),应该如何调运,才能使总的运费最省?

终点 / 每台运费 / 起点	汉口	重庆
北京	40	80
上海	30	50

解法一 (调整法)假设上海的 4 台全发运汉口,北京的 10 台中发运重庆 8 台,发运汉口 2 台,此时总运费为:

$$80\times 8+40\times 2+30\times 4=840(\text{元}).$$

这时,我们设想,北京发重庆的一台改发汉口,上海发汉口的

一台改发重庆，前者将节省运费 40 元，后者将增加运费 20 元，合计节省运费 20 元. 据此，上海的 4 台应全部发重庆，由北京发 4 台到重庆，发 6 台到汉口，此时总运费为

$$50 \times 4 + 40 \times 6 + 80 \times 4 = 760(\text{元}).$$

解法二 （代数方法）设上海调运到汉口 x 台（$0 \leqslant x \leqslant 4$），则调运到重庆（$4-x$）台；北京调运到汉口（$6-x$）台，调运到重庆 $10-(6-x)=(4+x)$ 台. 依题意总运费为：

$$\begin{aligned} & 30x + 50 \times (4-x) + 40 \times (6-x) + 80 \times (4+x) \\ = & 760 + 20x. \end{aligned}$$

要使运费最省，只需令 $x=0$，这时总运费为 760 元. 其调运方案为上海 4 台全部运重庆，北京给重庆发 4 台，给汉口发 6 台.

随堂练习 3

（1）如图，赵乡长下乡召集甲、乙、丙、丁四个村的村干部会议，这四个村子每相邻两个村子都是相距 5 千米，参加会议的人数是甲村 8 人，乙村 5 人，丙村 3 人，丁村 7 人. 问：赵乡长应在哪个村子召集会议，能使所有参加会议的人所走路程的总和最小？

5千米　5千米　5千米

甲村　乙村　丙村　丁村

第(1)题

（2）如图表示一个物资调运问题，A、B、C 是产地，D、E 是销地，产销量（吨）注在图上，试作一个吨千米总数最小的调运方案.

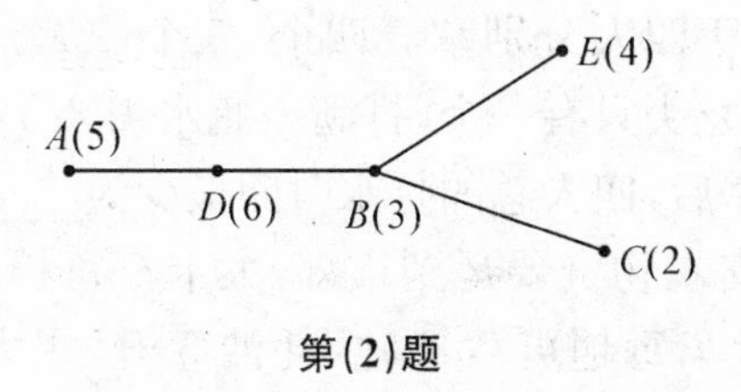

第(2)题

读一读

生活中的最佳高度

住宅层高:应在 2.6 米以上,否则会使人产生低沉闷压感.

桌子:成人身体直立、两手掌平放于桌面时,不必弯腰或屈肘关节,约 75 厘米高.

坐椅:成人坐骑的椅面应低于小腿的长度 1 厘米,孩子坐椅的椅面应低于孩子小腿长度 1~2 厘米.

照明:白炽灯灯泡距桌面高度,40 瓦为 55 厘米,15 瓦为 30 厘米;日光灯距桌面高度,40 瓦为 155 厘米,20 瓦为 110 厘米.

床铺:成人的床铺应略高于人腿的膝盖部,老年人的卧铺应略低于此.

枕头:应与一侧肩宽相等,高度约为 15 厘米,儿童相应降低.

练习题

一、填空题

1 萍萍蒸鸡蛋,打蛋用 1 分钟,切葱花用 2 分钟,搅蛋用 2 分钟,洗锅用 2 分钟,烧水用 6 分钟,蒸蛋用 10 分钟,一共用了 23 分钟.若合理安排工作流程________分钟即可完成.

2 在火炉上烤烧饼,烧饼两面都要烤,每烤一面需要 2 分钟,炉上只能同时烤 2 个饼,现在需要烤 5 个烧饼,最少用________分钟.

3 甲、乙、丙、丁四人分别拿着四个、三个、二个、一个热水瓶去打水,热水龙头只有一个,打满一瓶水需要 1 分钟,调整他们的排队顺序后,四人总的打水时间最少为________分钟.

4 有 157 吨支农物资要运到市郊,大卡车每趟可载 5 吨,耗油 10 升;小卡车每趟可载 2 吨,耗油 5 升.用大卡车________

辆,小卡车________辆,使耗油量最少.

5 如图,街道上有四栋居民楼甲、乙、丙、丁,现要建一个垃圾站,为使四栋楼到垃圾站的距离之和最短,垃圾站应建在________.

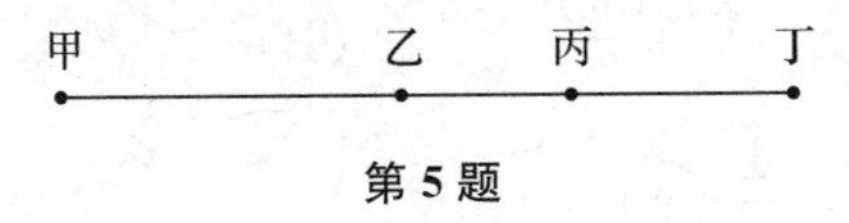

第5题

6 如图,在图中,数字表示各段路的路程,求出图中从 A 到 B 的最短路程是________.

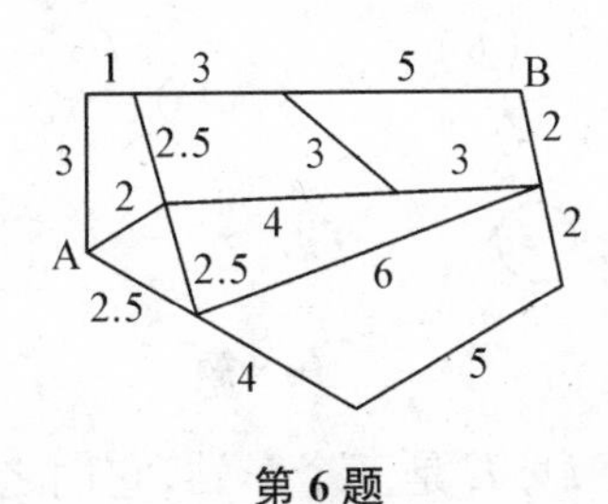

第6题

二、选择题

7 有 12 个不同国家的集邮爱好者,想通过邮寄相互交换各国最近发行的邮票,使得每人都有这 12 个国家的邮票.请找出一个使通信次数最少的交换方法,总通信次数最少是(　　).

(A) 12^2　　(B) 11^2　　(C) 24　　(D) 22

8 有 33 个小朋友,他们每人身上带的钱均不少于 6 角 8 分,也均不多于 1 元,并且钱数互不相同,每个小朋友都把带的钱全部买画片,画片有 3 分一张和 5 分一张的两种,每人都尽量买 5 分一张的画片.问:他们所买的 3 分一张的画片共有(　　).

(A) 64 张　　(B) 60 张　　(C) 61 张　　(D) 63 张

9 40 人去野营,他们搭的帐篷正好位于正五边形的五个顶点上,如图,图中圆圈内的数字表示每个帐篷内的人数.现在想将五个帐篷内的人数调整为一样多,调动最简便的方案是(　　).

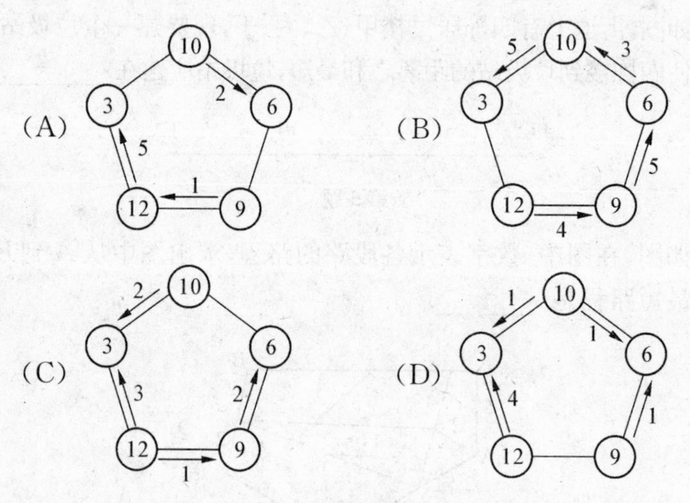

第 9 题

10 如图,A、B、C、D、E 是五个车站,它们之间的距离在图中已标明(单位:千米),在 B、D、E 三个车站分别有货 12 吨、5 吨和 3 吨,而 A、C 两站分别需要货物 11 吨和 9 吨,经过合理调配,总运输量最少为(　　)吨千米.

(A) 116　　(B) 112

(C) 100　　(D) 109

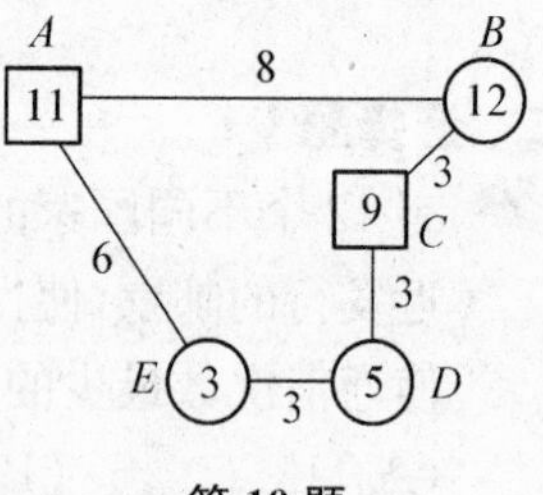

第 10 题

三、简答题

11 赵、孙、李三位同学同时到校卫生室治病,孙打针,需要 5 分钟;李外科换药,需要 3 分钟;赵点眼药水只要 1 分钟. 卫生室只有一位张医生,问:他如何安排这三位同学的治病顺序,才能使三位同学留在卫生室的时间总和最短?请你算出这个时间.

12 妈妈早晨起床后,为全家准备早饭,同时还要煮几个咸蛋作

为早餐菜,要做的事和时间如下表:

	梳头	洗脸刷牙	洗米	下锅	煮饭	洗咸蛋	煮咸蛋
时间(分)	8	5	2	1	30	5	12

为了让全家尽快吃上早饭,你认为应当怎样安排比较合理?

13 有一批 4.6 米的条形钢材,要截成长 0.7 米和 0.4 米的甲、乙两种毛坯,要求甲种毛坯根数是乙种毛坯根数的 2 倍,问:如何设计下料方案,使残料最少?

14 在 1200 米长的路段上植树,最少要种多少棵,才能保证至少有两棵树的距离小于 15 米?(路段的两端都要植一棵树)

参考答案

第1讲 巧算加减法

随堂练习 1 (1) 1100 (2) 4985 2 (1) 802 (2) 1000 3 (1) 60 (2) $4\times500=2000$(每4个数一组,共可分$2000\div4=500$组)

练习题 1 200 2 300 3 3500 4 501 5 B 6 A 7 200 8 400 9 429 10 1801 11 277 12 100 13 54316 14 100

第2讲 巧算乘除法

随堂练习 1 (1) 300 000 (2) 63 2 (1) 6 (2) 1 111 100 3 48 000 4 $A>B$

练习题 1 2 2 8 3 3500 4 200 000 5 C 6 A 7 1200 8 98 100 9 160 10 1111 11 4 12 99 13 2880 14 25 15 3

第3讲 横式数字谜

随堂练习 1 (1) □=20 (2) □=45 2 (1) □=13 (2) □=275 3 (1) $(7\times9+12)\div3-2=23$ (2) $(7\times9+12)\div(3-2)=75$

练习题 1 (1) 21 (2) 200 2 (1) 24 (2) 235

3 (1) $\square=2, 3, 4$ (2) $\square=9, 12$ **4** $\bigcirc=2$，$\triangle=6$

5 $4\div4+4\div4=2$ $4-(4+4)\div4=2$ $4\times4\div(4+4)=2$ **6** $(4+28)\div4-2\times(3-1)=4$ **7** $(6\oplus18\ominus3)\ominus(7\oplus2)=12$ $(6\otimes12\ominus5)\ominus(15\otimes4)=7$ $(6\otimes12\oplus5)\oslash(15\ominus4)=7$ **8** $\boxed{9}\div\boxed{3}\times\boxed{4}=\boxed{1}\boxed{2}$ $\boxed{5}+\boxed{8}-\boxed{7}=\boxed{6}$

9 答案不唯一 (1) $1\times3\times5+9=24$ (2) $(3-1)\times(5+7)=24$ (3) $2\times6\times(10\div5)=24$ (4) $(8+8\div2)\times2=24$ (5) $4\times7-(9-5)=24$ (6) $(7-3)\times8-8=24$ **10** 答案不唯一 $1+2=3$ $12\div3=4$ $12-3=4+5$ $1+2\times3+4=5+6$ $12\div3+4+5-6=7$ $12\div3-4+56\div7=8$

第4讲 竖式数字谜

随堂练习 **1** (1)

$$\begin{array}{r} 3 \\ \boxed{7}\,5 \\ +\,\boxed{9}\,2\,\boxed{8} \\ \hline \boxed{1}\,\boxed{0}\,0\,6 \end{array}$$

(2)

$$\begin{array}{r} 5\,8\,\boxed{1} \\ -\,2\,\boxed{8}\,7 \\ \hline \boxed{2}\,9\,4 \end{array}$$

2 $A=4, B=2, C=8, D=5, E=7$

3 (1)

$$\begin{array}{r} 7\,\boxed{5} \\ \boxed{7}\,\big)\,5\,\boxed{3}\,1 \\ \boxed{4}\,\boxed{9} \\ \hline \boxed{4}\,\boxed{1} \\ \boxed{3}\,\boxed{5} \\ \hline 6 \end{array}$$

(2)

$$\begin{array}{r} \boxed{3}\,7\,6 \\ \times\quad\boxed{8}\,\boxed{5} \\ \hline 1\,8\,\boxed{8}\,\boxed{0} \\ \boxed{3}\,\boxed{0}\,\boxed{0}\,\boxed{8} \\ \hline 3\,1\,\boxed{9}\,\boxed{6}\,0 \end{array}$$

练习题 **1** 36 **2** 12 **3** 10 **4** 19 **5** B **6** A **7** A **8** C **9** (1)

$$\begin{array}{r} \boxed{5}\,6\,\boxed{7}\,\boxed{6} \\ +\,2\,\boxed{4}\,1\,5 \\ \hline 8\,0\,9\,1 \end{array}$$

(2)

$$\begin{array}{r} \boxed{8}\,4\,\boxed{4} \\ -\,\boxed{1}\,\boxed{8}\,6 \\ \hline 6\,5\,8 \end{array}$$

和

$$\begin{array}{r} \boxed{9}\ 4\ \boxed{4} \\ -\ \boxed{2}\ \boxed{8}\ 6 \\ \hline 6\ 5\ 8 \end{array}$$

10

$$\begin{array}{r} \boxed{7}\ 2\ \boxed{4} \\ +\ 3\ \boxed{6}\ 5 \\ \hline \boxed{1}\ 0\ \boxed{8}\ 9 \end{array}$$

11

$$\begin{array}{r} \boxed{1}\ \boxed{9}\ \boxed{5}\ \boxed{4} \\ \times\ \quad 8 \\ \hline \boxed{1}\ 5\ 6\ 3\ 2 \end{array}\quad \begin{array}{r} \boxed{3}\ \boxed{2}\ \boxed{0}\ \boxed{4} \\ \times\ \quad 8 \\ \hline \boxed{2}\ 5\ 6\ 3\ 2 \end{array}\quad \begin{array}{r} \boxed{4}\ \boxed{4}\ \boxed{5}\ \boxed{4} \\ \times\ \quad 8 \\ \hline \boxed{3}\ 5\ 6\ 3\ 2 \end{array}\quad \begin{array}{r} \boxed{5}\ \boxed{7}\ \boxed{0}\ \boxed{4} \\ \times\ \quad 8 \\ \hline \boxed{4}\ 5\ 6\ 3\ 2 \end{array}$$

$$\begin{array}{r} \boxed{6}\ \boxed{9}\ \boxed{5}\ \boxed{4} \\ \times\ \quad 8 \\ \hline \boxed{5}\ 5\ 6\ 3\ 2 \end{array}\quad \begin{array}{r} \boxed{8}\ \boxed{2}\ \boxed{0}\ \boxed{4} \\ \times\ \quad 8 \\ \hline \boxed{6}\ 5\ 6\ 3\ 2 \end{array}\quad \begin{array}{r} \boxed{9}\ \boxed{4}\ \boxed{5}\ \boxed{4} \\ \times\ \quad 8 \\ \hline \boxed{7}\ 5\ 6\ 3\ 2 \end{array}$$

12

$$\begin{array}{r} 6\ (6) \\ \times\ 3\ \ 5 \\ \hline 3\ \ 3\ (0) \\ 1\ (9)\ 8\ \quad \\ \hline (2)(3)(1)(0) \end{array}$$

13

$$\begin{array}{r} 1\ (6) \\ (1)(2)\overline{)\ 1\ (9)\ 2} \\ 1\ (2)\quad \\ \hline 7\ (2) \\ (7)\ (2) \\ \hline 0 \end{array}$$

第5讲　在变化中找规律

随堂练习　**1**　(1) 10　15　20　25　18　24　30　36　(2) 222 222 222　333 333 333　444 444 444　666 666 666　555 555 555　999 999 999　888 888 888　777 777 777

2　(1) ① 34　② 25　36　③ 14　11　(2) 2，7　3，6　4，5　5，4　6，3　7，2　8，1　**3**　最后一朵是黄色的，绿花有 117 朵

练习题　**1**　61　**2**　243　**3**　25　**4**　12　**5**　123 454 321　1 111 111×1 111 111　**6**　294　**7**　B　**8**　D　**9**　B　**10**　D　**11**　(1) 7　7　(2) 7　4　**12**　7×2－5＝9　**13**　(1) 11　3　1111　10 003　11 111　5　100 004　111 111 111　9　1 000 000 008　(2) 5　10　10　5　**14**　(1) 12　50　(2) 50 505　70 707　90 909　**15**　(1) 35 个　(2) 90 平方厘米

第6讲　利用等差规律计算

随堂练习　**1**（1）10 000　（2）1656　（3）1005
2（1）103＋596　（2）7260支　**3**（1）66次　（2）9人

练习题　**1** 5151　**2** 15 050　**3** 20　**4** 1683　**5** 0
6 145　**7** A　**8** B　**9** B　**10** C　**11** 310
12（1）2430　（2）1635　**13** 215　**14** 570块　**15**（1）19下
（2）180下

第7讲　有趣的数阵图

随堂练习　**1**（1）（2）

2 答案不唯一

3（1）

（2）

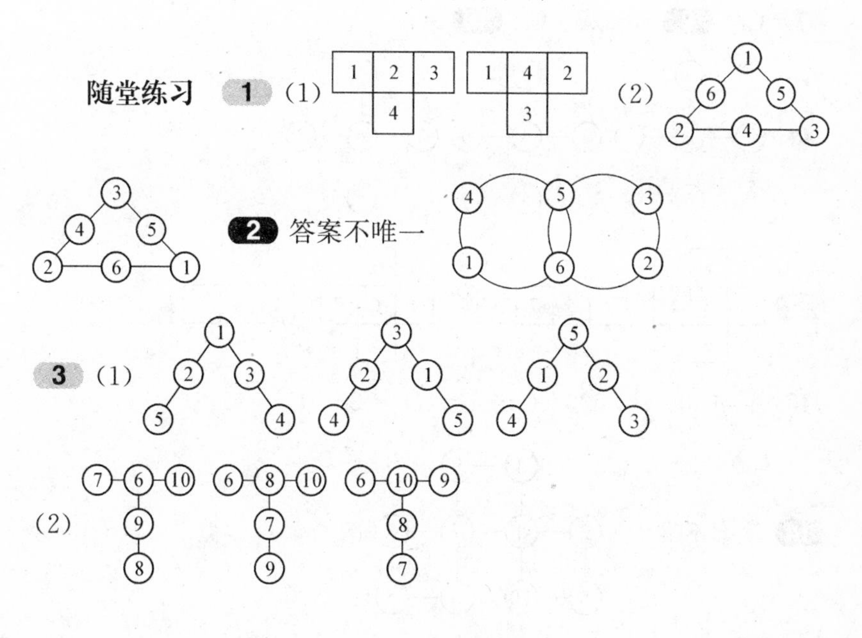

练习题　**1** 答案不唯一

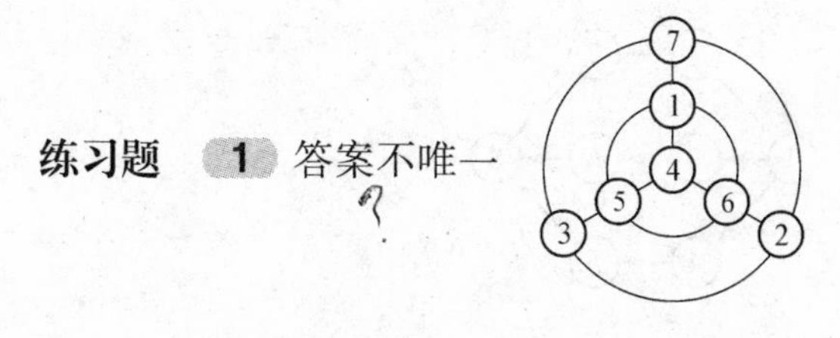

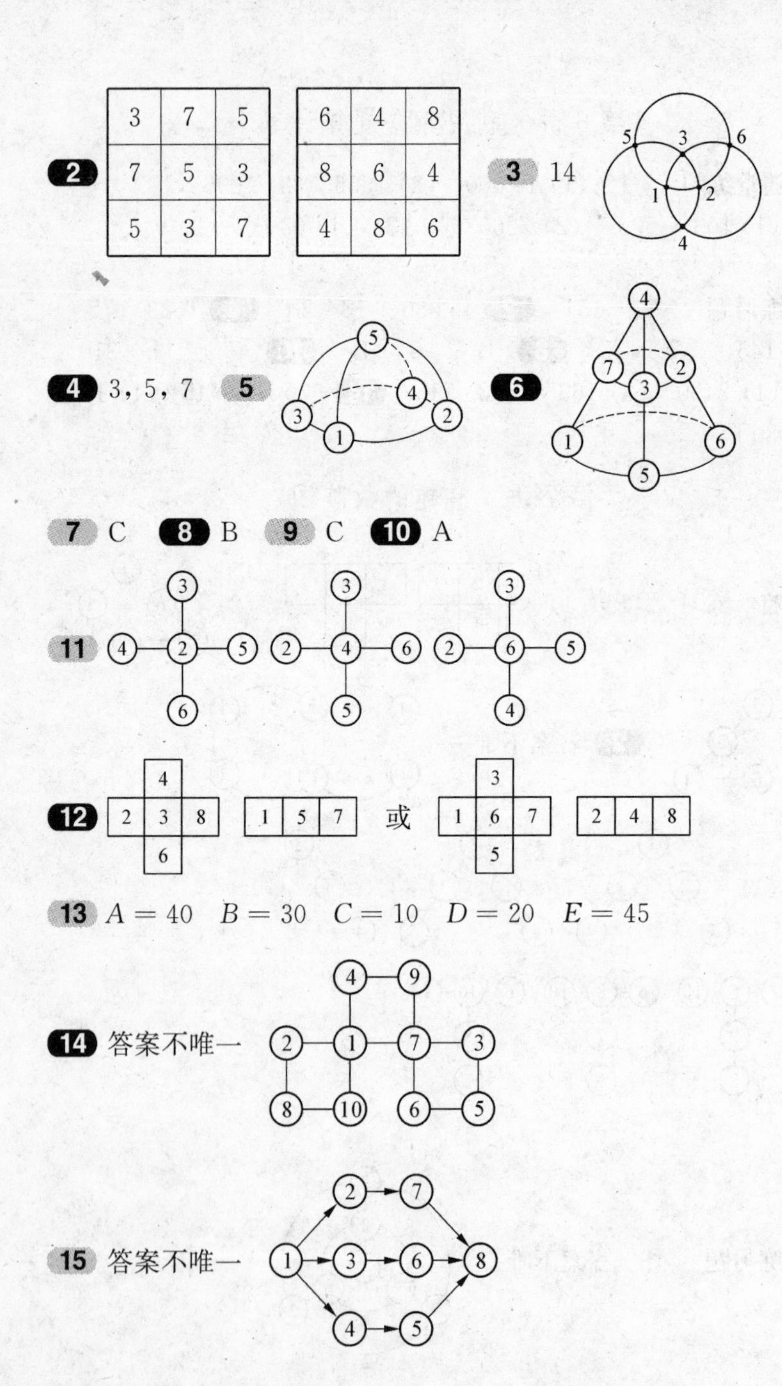
2
3 7 5
7 5 3
5 3 7
6 4 8
8 6 4
4 8 6
3 14
5 3 6
1 2
4
4 3，5，7
5
6
7 C
8 B
9 C
10 A
11
12
或
13 $A=40$ $B=30$ $C=10$ $D=20$ $E=45$
14 答案不唯一
15 答案不唯一

第8讲　用假设法解应用题

随堂练习　**1**　(1) 鸡60只　兔40只　(2) 10元人民币25张　5元人民币15张　**2**　(1) 10天　(2) 大米90千克　面粉450千克　**3**　(1) 第一辆车运330吨　第二辆车运300吨　第三辆车运280吨　(2) 10个

练习题　**1**　17　**2**　47　**3**　75　**4**　15　**5**　16　**6**　18　**7**　C　**8**　D　**9**　D　**10**　A　**11**　大拖拉机有11台　小拖拉机有19台　**12**　大塑料桶有10个　小塑料桶有40个　**13**　15发　**14**　爸爸38岁　妈妈34岁　王燕10岁　**15**　篮球9个　排球12个

第9讲　用对应法解应用题

随堂练习　**1**　(1) 小朋友有28人　糖有160块　(2) 绳长104米　**2**　(1) 19行　208人　(2) 买1千克香蕉要3元　买1千克苹果要2元　**3**　(1) 三种花总数为 $(15+18+9)\div 2=21$(朵)　蓝花为 $21-15=6$(朵)　黄花为 $21-9=12$(朵)　红花为 $21-18=3$(朵)　(2) 一双鞋42元　一顶帽子28元

练习题　**1**　7　**2**　11　15　**3**　8　36　**4**　31　**5**　24　152　**6**　A　**7**　D　**8**　252人　**9**　40公顷　**10**　苹果有20千克　梨有10千克　橘子有30千克　**11**　椅子单价是25元　桌子单价是50元

第10讲　用字母表示数

随堂练习　**1**　(1) $15x+10y$　(2) $100\div(x+5)$　(3) $x-2$　(4) $0.9a$　**2**　(1) 8　0, 1　10, 17, 65　(2) $100a+10b+c$　**3**　(1) ① 13　② $3n+1$　(2) ① $\frac{1}{2}n(n+1)$　② 21支　78支

练习题 **1** $50-a$ **2** $a+23$ **3** $100x$ **4** $2n-5$ **5** 8 1 4 **6** 10 0 1000 **7** C **8** D **9** C **10** D **11** (1) $0.8n$元 (2) $\frac{20}{m}$元

12

S(千米)	1	2	3	4	5	6	7	8	9	10
f(元)	5	5	5	7	9	11	13	15	17	19

13 $a+2$ $a+4$ $m=a+2(n-1)$ $m=42$ **14** $\frac{1}{2}n(n-1)$

第11讲 一元一次方程

随堂练习 **1** (1) ① 12 ② 18 ③ 0 ④ 32 (2) ① $x=0.5$ ② $x=1.1$ ③ $x=990$ ④ $x=25$ **2** (1) $x=3$ (2) 设这个数为x,则 $2x-3=11$, $x=7$ **3** (1) □ $=2$ (2) △ $=18$ □ $=6$

练习题 **1** (1) □$=10$ (2) □$=7$ **2** 4 **3** 100 **4** 19 5 **5** 23 **6** 2 **7** B **8** A **9** A **10** B **11** (1) $x=2$ (2) $x=2$ **12** (1) $x=53$ (2) $x=12$ **13** 200克 **14** □$=18$ △$=15$ ●$=20$

第12讲 列方程解应用题

随堂练习 **1** (1) 梨树120棵 桃树600棵 (2) 20千克 **2** (1) 每天生产羊奶391千克 牛奶1955千克 (2) 第一车间40人 第二车间28人 **3** (1) 90分 (2) 3小时

练习题 **1** 9 **2** 40 **3** $3x+5=10x-7$ **4** 200 50 **5** 16 **6** 11 **7** B **8** A **9** C **10** B **11** 473 **12** 20天 **13** 26所 **14** 第一、第二、第三个小朋友

分别分得36块、18块、9块糖

第13讲　平均数应用题(一)

随堂练习　1 (1) 5　(2) 8个　2 (1) 91.5分　(2) 92分　3 (1) 97　(2) 3千米/时

练习题　1 B　2 15　3 48　4 96　5 19℃　6 91分　7 52　8 24　9 6千米　10 3.75千米/时　11 30　12 4.8千米/时

第14讲　平均数应用题(二)

随堂练习　1 (1) 320千克　(2) 9.4元　2 (1) 33　(2) 14　3 (1) 3　(2) 75　73　62　(3) 74分

练习题　1 10　2 11　3 30　4 14　5 4　6 2　7 D　8 C　9 C　10 B　11 322吨　12 1.28米　13 81分　14 14　15 20岁

第15讲　用枚举法解应用题

随堂练习　1 (1) 排成的三位数有6个:347、374、437、473、734、743.其中最小的是347,最大的是743　(2) 11种　2 (1) 4种　(2) 10场　3 (1) 12种　(2) 由于6的约数有1、2、3、6,故 *A* 可取1, 2, 3, 6.枚举求解,共有九组

练习题　1 6　2 3　3 12　4 24　876　367　5 10　6 18　7 D　8 B　9 D　10 D　11 19种　12 1, 1, 12或1, 2, 6或1, 3, 4或2, 2, 3　13 (1) 3个

(2)

1克	1	2	4
2克	8	6	2
3克	1	2	4

14 18种不同的选购方法,选购菜

单是:$AC(1)$ $AC(2)$ $AC(3)$ $AD(1)$ $AD(2)$ $AD(3)$ $AE(1)$ $AE(2)$ $AE(3)$ $BC(1)$ $BC(2)$ $BC(3)$ $BD(1)$ $BD(2)$ $BD(3)$ $BE(1)$ $BE(2)$ $BE(3)$

第16讲 行船问题

随堂练习 **1** (1) 4小时 (2) 16千米/时 4千米/时 **2** (1) 8小时 (2) 20小时 **3** (1) 7.5小时 (2) 11小时

练习题 **1** 5 **2** 3 **3** 140 **4** 1.8 **5** 4 **6** 10 **7** C **8** B **9** D **10** B **11** 4小时 **12** 船在静水中的速度为21千米/时 水速为5千米/时 **13** 120千米 **14** 60千米

第17讲 过桥问题

随堂练习 **1** (1) 25秒 (2) 30米/秒, 240米 **2** (1) 19米/秒 304米 (2) 10米/秒 138米 **3** (1) 15千米/时 (2) 72千米/时

练习题 **1** 240 **2** 4 **3** 162 **4** 208 **5** 9 **6** 60 **7** A **8** B **9** 7秒 **10** (1) 9米/秒 (2) 81米 **11** 269米

第18讲 盈亏问题

随堂练习 **1** (1) 208人 (2) 7米 24米 **2** (1) 36人 (2) 17辆 1120人 **3** (1) 共有8人和38棵树苗 (2) 篮球24个 排球48个

练习题 **1** 10 **2** 138 **3** 5 **4** 30 **5** 10 72 **6** 21 72 **7** C **8** D **9** C **10** A **11** 56棵 **12** 65人 **13** 900千克 900元 **14** 1200米

第 19 讲　还原问题

随堂练习　1 (1) 1　(2) 98 公顷　2 (1) 169　(2) 54 米　3 (1) 100 吨　(2) 第一、第二、第三棵树上各停有 24 只、14 只、10 只鸟

练习题　1 4　2 620　3 172　4 12　5 52　6 9　7 B　8 A　9 C　10 D　11 96　12 17 只　8 只　13 82 页　14 30 枚　17 枚　9 枚　8 枚

第 20 讲　数码问题

随堂练习　1 (1) 26　(2) 42　2 (1) 19　20　21　22　23　(2) 585　3 (1) 51 个　(2) 456 个

练习题　1 54　2 62　3 609　4 84　5 35　37　39　41　6 37　7 28　8 387　9 495 个　10 50

第 21 讲　整除与有余数除法

随堂练习　1 (1) 24　18　12　6　0　(2) 84　360　2 (1) 77　6　(2) 1　4　7　3 (1) $B=0$　$A=3, 6, 9$　这个四位数是:8310, 8610, 8910　(2) 990　120

练习题　1 四　2 2　3 104　4 $A=2, 5, 8$　$B=0$　5 3　6 74　7 D　8 A　9 D　10 A　11 256　14　12 48 个　红色　13 $x=0$ 或 6　14 998

第 22 讲　奇数和偶数

随堂练习　1 (1) 偶数　(2) a 是奇数　2 (1) b 是奇数　(2) 偶数　3 (1) 65　67　69　(2) 偶数

练习题　1 奇数　2 偶数　3 100　4 12　14　16

5 1 8 **6** 小明的判断是正确的 **7** B **8** A **9** C **10** A **11** 2500 2550 **12** 不能做到 **13** 94 96 98 **14** 不可能是 1，3，5

第 23 讲 图形的个数

随堂练习 **1** (1) (a) 16 条 (b) 13 条 (2) 15 个 **2** (1) 21个 (2) 7 个 **3** (1) (a) 6 个 (b) 15 个 (2) 30 个

练习题 **1** 15 **2** 21 **3** 20 **4** 14 **5** 8 **6** 27 **7** D **8** C **9** B **10** C **11** 45 个 **12** 24 个 **13** (1) 780 条 (2) 703 条 **14** 26 个

第 24 讲 图形的周长

随堂练习 **1** (1) 20 厘米 (2) 32 厘米 **2** (1) 24 厘米 (2) 36 厘米 **3** (1) 一样近 (2) 460 米

练习题 **1** 23 13 **2** 100 50 **3** 30 **4** 28 **5** D **6** C **7** 20 厘米 **8** 12 厘米 **9** 24 分米 36 平方分米 **10** (1) 30 米 (2) 18 米 **11** 24 厘米 **12** 32 厘米 **13** 甲的周长小于乙的周长 乙的周长为 20 分米 **14** 24 厘米

第 25 讲 图形的面积

随堂练习 **1** (1) 4000 平方米 (2) 48 平方厘米 **2** (1) 75平方厘米 (2) 484 平方米 **3** (1) 50 平方厘米 (2) 16 平方分米

练习题 **1** 81 **2** 225 **3** 100 **4** 60 **5** B **6** D **7** 199 平方米 **8** 8 平方分米 **9** 9 平方厘米 **10** 96 平方厘米 **11** 196 平方厘米 **12** 172 平方厘米 **13** 15 分米

第26讲　添运算符号和括号

随堂练习 **1** (1) $4\times5+3-2+1$　$(4+5+3-1)\times2$　… (2) $(5+7)\times(8-6)$ 或 $8\times6\div(7-5)$　… **2** (1) ⑥×⑨＝5④　12＋③－⑦＝8　(2) $3\div3+3\div3+3=5$　$(3\times3-3)\div3+3=5$　$3\times3-3\div3-3=5$　$33\div3-3-3=5$　… **3** $1+2+3+4+5+6+78+9=108$　$12+3+4+5+67+8+9=108$　$1+23+4+56+7+8+9=108$

练习题 **1** $(5-5)\times5+5+5=10$　$5\times5-5-5-5=10$　$(5\div5+5\div5)\times5=10$　$(5\times5+5\times5)\div5=10$　… **2** 答案不唯一　$(1+2)\div3=1$　$1\times2+3-4=1$　$[(1+2)\times3-4]\div5=1$　$1+2+3-4+5-6=1$　$1\times(2+3)+4+5-6-7=1$　$(1\times2\times3-4+5-6+7)\div8=1$ **3** (1) $(10\times10-4)\div4=24$　(2) $(10-2)\times(5-2)=24$ 或 $(10\times5-2)\div2=24$ 或 $2\times(2+5)+10=24$ **4** (1) $(3+3\times3\times3)\div3=10$　$(3+3\div3\div3)\times3=10$　… (2) $(8\times8\times8-8)\div8=63$　$(8-8\div8\div8)\times8=63$　… **5** 48÷⃝6⊖5＝3　1⊗2⊕7＝[9] **6** (1) $7\times[(9+12)\div3]-2=47$　(2) $7\times[(9+12)\div3-2]=35$ **7** (1) $(2\times4-5)\times8$　(2) $(8-5)\times4\times2$　(3) $(5\times4-8)\times2$　(4) $5\times4+8\div2$　(5) $5\times8\div2+4$　… **8** ②×⑤－⑦＝⑨⑥÷④⑧＋①＝③ **9** 答案不唯一　(1) $(3-3)\times3\times3\times3=0$　(2) $(3-3)\times3+3\div3=1$　(3) $3\times3\div3-3\div3=2$　(4) $3\times(3\div3)\times(3\div3)=3$　(5) $3\times3\div3+3\div3=4$ **10** $(1+2\times3+4\times5+6)\times7+8\times9=303$

第27讲　最大和最小

随堂练习 **1** (1) 698　(2) 62 980 **2** (1) $1+9+9+5=24$　(2) $9+8+7+\cdots+3+2+1=45$ **3** (1) $10\,234-9=10\,225$　(2) $8765-13\times24=8453$

练习题 **1** 17 7 **2** 10 10 100 **3** 9 **4** 10 **5** *BC*之间(包括端点) **6** 28 **7** B **8** A **9** B **10** B **11** 895 051 **12** 34位数 首位数字是3 **13** 38人 **14** 每人骑自行车2千米,步行1千米

第28讲 统筹安排

随堂练习 **1** (1) 6分钟 (2) 使用枚举法,有以下5种:

方法 \ 根数 \ 毛坯	7厘米	5厘米	3厘米
(1)	1	5	3
(2)	1	2	8
(3)	2	3	4
(4)	3	1	5
(5)	4	2	1

2 (1) 25分钟 (2) 治疗顺序:小王→小李→小赵 **3** (1) 乙村 (2)

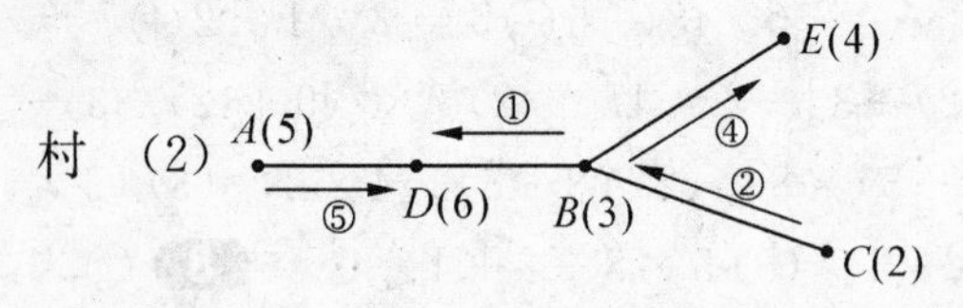

练习题 **1** 18 **2** 10 **3** 20 **4** 31 1 **5** 乙、丙之间任一点(包括乙、丙两点) **6** 10.5 **7** D **8** A **9** D **10** D **11** 14分钟 **12** 33分钟 **13** 先用枚举法列出所有可能截法,再取无残料的方法配合成一个下料方案 **14** 82棵

华东师范大学出版社

部分学科竞赛图书

📖 《数学奥林匹克小丛书·小学卷》（4种）

《巧解应用题》 / 单墫 张玉香 著　　12.00元

本书侧重于非传统的应用题，它不是照搬固定的模式就能解决的，因而有助于开拓学生的眼界，发展他们的创造能力. 本书分为上下两篇. 上篇“仙人的手指”，以介绍解题方法为主. 下篇“形形色色的问题”，侧重于对具体题目的分析. 最后还有三十多道习题及其解答.

《整数问题》 / 郜舒竹 编著　　8.00元

本书主要研究小学数学中的整数问题，基本涵盖了各级各类小学数学竞赛中整数问题的类型和常用方法. 力图从历史文化、问题背景、思想方法、方法来源四个方面展示问题和问题的解决. 本书编写的特点在于突出“过程”与“联系”，着力点在于问题的“发生”与“发展”. 同时注意到深入浅出、图文并茂. 本书特别适合小学中、高年级学有余力的学生自学，也可作为各级各类小学数学竞赛的培训教材，以及小学数学教师教学科研的参考.

《图形问题》 / 熊斌 周洁婴 编著　　12.00元

图形问题对小学生来说是非常直观和有趣的，然而又是数学中的一个难点. 本书介绍了小学数学竞赛中常见的图形问题的基本知识、解题方法和技巧，通过对一些有趣的、新颖别致的例题和习题的讲解，拓宽学生的视野，培养学生灵活运用知识的能力，提高思考问题和解决问题的能力.

《巧算、字谜与逻辑问题》 / 胡大同 编著　　12.00元

本书内容包括三个方面：巧算、字谜、逻辑推理. 这些内容在小学的课外活动和数学竞赛中经常出现. 它的基础源于课本，包括四则运算的定义、法则、性质和最基本的推理方法. 但作为课外活动则是在课本知识的基础上着重于这些知识的灵活应用，着重于计算能力和推理能力在技巧方面的拓展和提高. 总之，着重于思维能力的提高.

📖 《奥数教程》　　　　　　总主编　单　墫　熊　斌
（一年级～六年级）

📖 《〈奥数教程〉学习手册》　　总主编　单　墫　熊　斌
（四年级～六年级）

应广大读者要求，为方便自学，在《奥数教程》的基础上，我们对四、五、六年级配套出版了“学习手册”。内容包括：“教程”习题详细解答、竞赛热点专题精讲、重要赛题热身训练三部分。如果将“学习手册”与“教程”配套使用，收效一定更佳。

📖 《奥数 VCD》

这是一套与《奥数教程》相配套的 VCD. 每个年级配有 6 张盘，盘中精编了各种具有代表性且难度较大的一些奥林匹克数学问题，由奥数培训机构教学第一线的骨干教师负责主讲. 因为奥数的许多问题难度都比较大，所以家长辅导、学生理解有一定的困难. 该盘既可以帮助家长解决不易请到奥数家教老师的困难，又可以使学生从容地在家中反复听讲，有针对性地突破难点，达到事半功倍的效果.

三年级	54.00 元	四年级	54.00 元
五年级	54.00 元	六年级	54.00 元

📖 《奥数测试》

这是一套与《奥数教程》相配套的测试用书，专题内容与《奥数教程》基本一致. 每份测试卷标有分值，读者可以通过测试了解自己的奥数水平.

三年级	9.00 元	四年级	10.00 元
五年级	9.00 元	六年级	11.00 元

图书在版编目(CIP)数据

奥数教程. 四年级/江兴代编著. —上海:华东师范大学出版社,2007.7
ISBN 978-7-5617-2343-2

Ⅰ.奥… Ⅱ.江… Ⅲ.数学课—小学—教学参考资料
Ⅳ.G624.503

中国版本图书馆 CIP 数据核字(2000)第 48990 号

奥数教程·四年级·
(第四版)

总主编 单 墫 熊 斌
编 著 江兴代
策划组稿 倪 明 徐 金
文字编辑 严小敏
封面设计 高 山
版式设计 蒋 克

出版发行 华东师范大学出版社
社 址 上海市中山北路 3663 号 邮编 200062
电 话 021-62450163 转各部 行政传真 021-62572105
网 址 www.ecnupress.com.cn www.hdsdbook.com.cn
市 场 部 传真 021-62860410 021-62602316
邮购零售 电话 021-62869887 021-54340188

印 刷 者 江苏句容市排印厂
开 本 890×1240 32 开
印 张 8
字 数 218 千字
版 次 2007 年 7 月第 4 版
印 次 2007 年 8 月第 32 次
书 号 ISBN 978-7-5617-2343-2/G·1097
定 价 11.00 元

出 版 人 朱杰人

(如发现本版图书有印订质量问题,请寄回本社市场部调换或电话 021-62865537 联系)